AUX LIMITES DE LA MÉMOIRE

BIBLIOTHÈQUE ADMINISTRATIVE
Conseil du trésor – Services gouvernementaux
Éléments de catalogage avant publication

Bouchard, Guy.

    Aux limites de la mémoire : photographies du Québec 1900-1930 /
Musée du Bas-Saint-Laurent ; [rédaction Guy Bouchard, Régis Jean]. –
Sainte-Foy, Québec : Publications du Québec, [1995].

    ISBN 2-551-16392-7

    1. Photographie - Québec (Province) - Expositions 2. Photographes -
Québec (Province) 3. Québec (Province) - Histoire - 20e siècle I. Jean,
Régis II. Musée du Bas-Saint-Laurent. III. Titre.

Musée du Bas-Saint-Laurent
Les Publications du Québec

AUX LIMITES DE LA MÉMOIRE

Photographies du Québec

1900 - 1930

Québec ⬚⬚

Cette publication a été élaborée par le
Musée du Bas-Saint-Laurent
300, rue Saint-Pierre
Rivière-du-Loup (Québec)
G5R 3V3

Cette édition a été produite par
Les Publications du Québec
1500D, boulevard Charest Ouest
Sainte-Foy (Québec)
G1N 2E5

Rédaction
Guy Bouchard, Musée du Bas-Saint-Laurent
Régis Jean, Musée du Bas-Saint-Laurent

Recherche iconographique
Guy Bouchard
Régis Jean

Graphisme et éditique
Marc Duplain, graphiste designer

Contrôle de la qualité des tirages
Louise Bilodeau, photographe

Laboratoires de photos
Brown & Chalifour
Yvan Roy

Photographies
Fonds du Musée du Bas-Saint-Laurent

Dépôt légal – 1995
Bibliothèque nationale du Québec
Bibliothèque nationale du Canada
ISBN 2-551-16392-7
© Gouvernement du Québec

Sommaire

Aux limites de la mémoire

ＳIÈCLE DES TRANSPORTS, SIÈCLE DES COMMUNICATIONS, MAL DU SIÈCLE, SIÈCLE DE LA démesure... notre siècle en a bien lourd sur les épaules. On n'en finit plus de trouver des qualificatifs, souvent évocateurs et rarement élogieux, nous permettant de mieux comprendre cette tranche la plus récente de notre histoire. 🐾 L'ouvrage *Aux limites de la mémoire* se concentre sur le Québec pendant le premier tiers de ce siècle. Pour pouvoir en parler, nous avons surtout recueilli l'information dans la mémoire vivante, constituée du témoignage oral des plus âgés d'entre nous. Chaque année, la disparition de nos aînés, parfois centenaires, anéantit à jamais cette mémoire. Nous avons actuellement la possibilité d'assembler de l'information nouvelle  et vivante sur les années 1900 à 1930. Cela correspond aussi, d'une certaine manière, aux limites documentées des fonds photographiques que conserve le Musée du Bas-Saint-Laurent. 📷 Ceux et celles qui s'attendent à trouver, dans cette publication, un manuel d'histoire dans le sens conventionnel du terme, seront certainement surpris. Notre démarche va à l'encontre d'à peu près tout ce qui se rencontre sur la tablette « *histoire du Québec* » dans nos bibliothèques ou librairies. Habituellement, l'usage veut qu'on mène une recherche de fond qu'il faut ensuite enrichir avec des illustrations. Dans le cas d'*Aux limites de la mémoire*, nous avons tout d'abord puisé deux cents photographies évocatrices parmi les cent cinquante mille que compte le Musée du Bas-Saint-Laurent. Ces images riches et belles permettent d'aborder un thème, une réalité, une partie de la vie au Québec pendant les trois premières décennies du siècle. 🐾 Bien entendu, la vie au Québec pendant ces années touche un éventail d'activités extrêmement large. Nous avons volontairement balisé l'horizon, limité nos ambitions, dans le but de proposer un ouvrage compréhensible. Il s'agit d'une façon certainement imparfaite, mais combien stimulante, de parler d'un passé encore récent. Pour organiser notre réflexion, nous avons opté pour une répartition en huit thèmes principaux : le quotidien, les loisirs, la famille, l'économie et les grands progrès, les transports, l'architecture, les événements et la vie publique et l'œil du photographe. Il s'agit là, on l'aura compris, d'une progression de la vie privée vers la vie publique, du quotidien vers l'extraordinaire. ◙ Certains diront, avec raison, que la division par volets constitue aussi un piège réel. Ainsi, vous constaterez qu'un grand nombre d'images pourraient permettre d'aborder différents thèmes. Un enfant qui joue peut s'inscrire dans les thèmes « loisirs », « famille » ou « quotidien », tout comme la construction du chemin  de fer aurait sa place dans « économie » et « transports ». Mais il faut faire des choix, avec tout ce que cela implique de subjectivité et parfois d'imprécision. ▥ Les commentaires d'accompagnement sont, eux aussi, différents de ce que l'on rencontre habituellement. Nous sommes très loin, ici, de la grande histoire, de l'histoire officielle du Québec. Nous parlons plutôt de la petite histoire, celle des gens, l'histoire vécue au quotidien. En trois ou quatre phrases, nous avons tenté de décrire mais surtout de comprendre et d'analyser une image. ◙ Ces courts textes ont comme objectif de stimuler le rêve et la réflexion chez le lecteur. Finalement, si nous réussissons, par cet ouvrage, à semer la graine de l'histoire chez quelques milliers de Québécois, nous aurons atteint notre mission. ▥ Un parfum de fleuve plane évidemment sur ce livre, et c'est tant mieux. Bien que les chasseurs d'images bas-laurentiens aient arpenté le Québec, appareil photographique à la main, on comprendra que les images saisies dans le Bas-du-Fleuve (de Rivière-du-Loup à Mont-Joli) et sur la Côte-du-Sud (de Montmagny à Notre-Dame-du-Portage) dominent sur le plan de l'abondance. Il n'en demeure pas moins que la vaste majorité des régions historiques du Québec, de l'Outaouais jusqu'en Gaspésie, en passant par Montréal, la Montérégie, Québec, la Côte-Nord, le Saguenay, Charlevoix, etc., sont illustrées.  L'orientation de cette publication, très proche du support visuel, rend encore plus grande l'importance des photographes. Il est indéniable que ce volume n'aurait jamais vu le jour sans les Stanislas Belle, Ulric Lavoie, Marie-Alice Dumont, Jean-Baptiste Dupuis, Antonio Pelletier, Paul-Émile Martin, Adélard Boucher, les Breton et Chamberland et quelques autres photographes dont l'œuvre n'est malheureusement pas signée. Les fonds photographiques, acquis pour la plupart par voie de donation, constituent aujourd'hui une partie vitale du patrimoine québécois. *Aux limites de la mémoire* rend hommage tant aux photographes qu'aux donateurs, ces derniers ayant eu l'intelligence et la clairvoyance de confier la conservation de leurs biens les plus précieux au Musée du Bas-Saint-Laurent. Aucun remerciement ne sera jamais à la hauteur de la grandeur de leur geste. Et, comme on le sait, rien ne se fait plus sans qu'il soit question d'argent et de financement. Les partenaires principaux que sont Lévesque-Beaubien-Geoffrion, en plus de l'appui du député Mario Dumont et des deux librairies de Rivière-du-Loup, Librairie J.-A. Boucher et Librairie du Portage, ont permis au Musée du Bas-Saint-Laurent de consacrer ressources humaines et équipements nécessaires à cet ambitieux projet.

Aux limites de la mémoire a meublé nos rêves pendant de nombreux mois. À votre tour de rêver.

Guy Bouchard, *directeur général*
Musée du Bas-Saint-Laurent

Remerciements

Ce projet est une idée originale de Monsieur François Pelletier
qui a su associer les partenaires à la réalisation
de cette publication.

Nous tenons à remercier Madame Hélène Bouchard pour sa
précieuse collaboration ainsi que Madame Nathalie Fortin
et Monsieur Stéphane Mercier pour leur
participation soutenue.

Nos remerciements vont également à
Madame Marie-France Émond et à Monsieur François Pelletier
pour la recherche de financement.

Enfin, nous voulons souligner l'appui constant
de Madame Brigitte Carrier et de Messieurs Claude Ampleman,
Marc Bouchard, Rémi Boucher, Paul-Édouard Martin,
Claude Ouellet, et Michel R. Poulin.

L'image avant toute chose

LA MÉMOIRE MATÉRIALISÉE

À L'AUBE DU VINGTIÈME SIÈCLE, LA PHOTOGRAPHIE N'EST PLUS UNE INVENTION NOUVELLE. Il s'est déjà écoulé un demi-siècle depuis l'annonce en 1839, par le Français Daguerre et l'Anglais Talbot, qu'on pourrait dorénavant, sans utiliser le dessin ni la peinture, fixer l'image des personnes et des objets et la conserver sur un support plus stable que celui de la mémoire.  La technique a connu des progrès rapides au cours des premières décennies. Les temps de pose qui, vers 1840, étaient de huit à quinze minutes, passent dix années plus tard à une trentaine de secondes seulement. Le négatif de verre au collodion humide (1853), qui devait être sensibilisé juste avant la prise de vue et développé aussitôt, obligeait le photographe à transporter un véritable laboratoire mobile en plus des lourds appareils et du trépied. Avec l'apparition sur le marché de la plaque sèche à la gélatine (1871), le procédé se simplifie. Plus sensible que les précédents, ce support prêt à l'emploi réduit considérablement les temps d'exposition et favorise des photographies moins statiques, plus naturelles. Cette innovation gagnera rapidement la faveur des photographes professionnels et amateurs. La technique se simplifie grandement sans pour autant devenir accessible à tous et à toutes les bourses.

PROFESSION : « PHOTOGRAPHE »

Des photographes professionnels s'installent assez tôt dans les grandes villes québécoises : George William Ellisson en 1848 et Jules-Isaïe Livernois à Québec en 1854, William Notman à Montréal en 1856. Il faudra cependant attendre le dernier quart du siècle avant de voir les professionnels s'installer dans les villes de moindre importance. Entre-temps, des photographes itinérants offrent leurs services, de façon plus ou moins sporadique, dans les villes et villages. 🐾 Par exemple, le premier photographe à Rivière-du-Loup, Théodore Maisé, n'est recensé qu'en 1881. Au cours des années suivantes, plusieurs personnes s'adonnent à la photographie commerciale tout en pratiquant un autre métier : Cyprien Pelletier (1887), Alexis Gagné (1890), Alexandre Jones (1891), Israël Laforest (1891). Ces premiers studios apparaissent généralement à l'intérieur d'une épicerie ou d'un magasin général. 📷 En 1894, la presse locale salue l'arrivée « de l'un des plus habiles artistes photographes de Montréal, un artiste d'expérience », Stanislas Belle. Nous pouvons le considérer comme le premier véritable professionnel de cet art au Bas-Saint-Laurent.

DES AMATEURS PASSIONNÉS

Des adeptes passionnés découvrent le côté magique de la photographie. Nous pourrions comparer la fièvre qui s'empare de ces amateurs à l'engouement créé par l'avènement des premiers ordinateurs domestiques au cours des années 1970. On découvrait tout le plaisir de fixer à jamais sur une image le pittoresque d'un paysage, le visage des êtres aimés, l'intimité d'une scène familiale. On « tire le portrait » de chaque moment important, comme autant de jalons qui marquent les grandes étapes de la vie : tendre enfance, première communion, remise de diplôme, mariage... 🐾 Grâce surtout à l'Américain George Eastman (1854-1932) et son slogan « Vous pressez le bouton, nous faisons le reste! », la photographie se répand dans le grand public. Il lance en 1888 le premier appareil Kodak, une simple boîte noire chargée d'un rouleau de pellicule de cent poses. Après utilisation, on expédie le tout au laboratoire, les images sont imprimées et l'appareil rechargé d'un film neuf. La vague s'amplifie encore en 1900 : des milliers d'amateurs s'équipent, moyennant la modique somme d'un dollar, d'un appareil Brownie qu'on charge d'un rouleau de six poses. ✎ La photographie, autrefois réservée à quelques initiés fortunés, devient de plus en plus un art à la portée de tous. 📷 *Aux limites de la mémoire* présente les photographies réalisées par quatre professionnels, dont cette activité est le principal gagne-pain, et trois amateurs qui en font plutôt leur passe-temps. En outre, on y trouve quelques images puisées dans des albums dont les auteurs sont inconnus. Ces regards différents, posés sur une période importante de notre histoire récente, nous font découvrir certaines facettes du passé que seule l'image est en mesure de véhiculer.

STANISLAS BELLE (1864-1936)

Stanislas Belle commence sa carrière à Saint-Jean-sur-Richelieu où il occupe, en 1888, l'atelier voisin de celui du photographe Joseph-Laurent Pinsonneault. Probablement attiré par l'achalandage touristique que connaissaient Fraserville (qu'on appellera Rivière-du-Loup en 1919) et la région à l'époque, il ouvre son studio en 1894. En plus de la photographie, Belle vend des pianos, des orgues, d'autres instruments de musique et même des machines à coudre. ✎ En 1914, il laisse environ vingt mille négatifs sur verre composés principalement de portraits de studio, de scènes de vie et d'événements. Il édita de nombreuses cartes postales en plus de publier, en 1906, un album-souvenir composé de nombreuses photographies de Fraserville et de la région du lac Témiscouata.

ULRIC LAVOIE (1886-1940)

Au printemps de 1914, Belle publie dans le journal *Le Saint-Laurent* un avis pour rechercher « un jeune homme sérieux désirant apprendre la photographie ». Moins de deux mois plus tard, il se ravise, décidant plutôt de vendre le commerce de photographie. Il continuera d'exploiter uniquement le magasin de musique. Ulric Lavoie poursuit le travail de son prédécesseur sous le nom de Lavoie Photo. Mais en 1925, il devient aveugle et ne peut évidemment pas continuer à pratiquer son métier. Il engage donc un autre photographe, Antonio Pelletier, pour l'assister. Malgré son handicap, Ulric Lavoie continue de s'intéresser au métier, supervisant le moindre geste de son assistant. Après son décès survenu le 30 mai 1940, le studio sera vendu à son fidèle employé. ◘ Sa collection se compose d'environ vingt-trois mille négatifs de verre, de nitrate de cellulose et d'acétate.

ANTONIO PELLETIER (1900-1958)

Antonio Pelletier exploitait déjà, à son propre compte, un petit studio de photographie avant de s'engager auprès de Lavoie chez qui il travaillera pendant dix-sept ans. En 1942, il devient propriétaire du Studio Lavoie Photo connu comme « le plus important studio de photographie de Québec en descendant ». Il dirige également un laboratoire qui assure le développement des pellicules en vingt-quatre heures. ◘ Les quelques photographies reproduites dans cet ouvrage ont été réalisées entre 1925 et 1930. Elles font partie de la collection personnelle du photographe; celles qu'il produisait pour le compte de son employeur pendant ces années sont attribuées à Ulric Lavoie.

MARIE-ALICE DUMONT (1892-1985)

Considérée comme la première femme à pratiquer la photographie de façon professionnelle dans l'Est du Québec, Marie-Alice Dumont exploite un studio à Saint-Alexandre de Kamouraska de 1925 à 1961. De formation autodidacte, elle s'initie à la prise de vue et au développement des films avec son frère, l'abbé Napoléon Dumont, professeur au Collège de Sainte-Anne-de-la-Pocatière. Elle laisse une collection d'environ dix mille négatifs et épreuves composés de portraits de studio et de scènes du quotidien. Elle produit ses plus belles images en photographiant ses proches dans leur vie de tous les jours, créant ainsi de véritables documents ethnographiques.

JEAN-BAPTISTE DUPUIS (1877-1959)

Homme d'affaires, Jean-Baptiste Dupuis est directeur de la Compagnie de Téléphone de Kamouraska. Passionné de photographie, il se sépare rarement de son matériel. Ses sujets favoris sont sa famille et les photos de voyage. Une constante recherche de l'esthétisme le porte à photographier des scènes pittoresques dans un cadre naturel. Un parfum romantique enveloppe ses images et les rends presque irréelles ◙ Son fonds compte sept cents négatifs de verre tirés entre 1900 et 1920.

PAUL-ÉMILE MARTIN (1875-1938)

Paul-Émile Martin est avocat et s'adonne à la photographie lors de ses temps libres. À l'occasion, il pratique son passe-temps avec son ami, Jean-Baptiste Dupuis. Les scènes familiales et les souvenirs de voyage représentent une partie importante de sa collection. Fait intéressant à souligner : les images sont tirées en transparents positifs sur plaques de verre, un procédé ancêtre de nos diapositives modernes. Les images étaient projetées à l'aide d'une lanterne à projection au cours de séances avec la famille et les amis. ▮ La collection regroupe environ mille deux cents images tirées entre 1893 et 1935.

J.-ADÉLARD BOUCHER (1881-1954)

Fils d'entrepreneur, J.-Adélard Boucher travaille d'abord comme peintre en bâtiment avec son père. Par la suite, il exploitera une tabagie, un salon de billard, puis une salle de quilles. Photographe amateur, il réalise des clichés d'événements spéciaux, des scènes familiales ou des photos de voyage. 📷 Quelques photographies ont également été glanées dans d'autres fonds d'archives visuelles dont le Musée du Bas-Saint-Laurent assure la conservation. Si les auteurs de ces photographies nous sont inconnus, les images qu'ils ont créées demeurent un précieux témoignage d'une époque révolue. Le fonds des familles **Breton et Chamberland** compte deux albums de famille et quelques centaines de cartes postales et de photographies tirées entre 1900 et 1945 dans la région de Rivière-du-Loup. 🦒 Par ailleurs, le fonds **François Pelletier et Hélène Landry** se compose d'un album de deux cents photographies réalisées vers 1910. L'auteur anonyme travaillait vraisemblablement comme arpenteur à la construction de la voie ferrée qui traverse la région du Transcontinental, près de la frontière canado-américaine. La valeur historique de ces documents est indéniable. L'auteur a capté sur pellicule des scènes malheureusement peu photographiées de l'histoire de notre pays.

DES ARCHIVES VISUELLES

Au Québec, on reconnaît l'importance et la valeur des grands fonds nationaux comme ceux des Livernois et de Notman. La recherche et les publications sur ces photographes nous ont permis de les découvrir et de les apprécier à leur juste valeur. 📷 Les fonds photographiques régionaux, par contre, sont encore mal connus et peu valorisés. Plusieurs d'entre eux ont été détruits et l'inventaire de ces archives visuelles n'est pas chose aisée à réaliser. 🦒 Les œuvres des photographes amateurs aussi sont souvent laissées pour compte. Il en résulte qu'une partie de la mémoire visuelle est dispersée faute de dépôts d'archives pour les recevoir et les conserver. 📷 Et pourtant, certaines images créées par de parfaits inconnus sont émouvantes de beauté, saisissantes de vérité. Quelques-unes d'entre elles seraient dignes des meilleurs photographes... Si elles étaient signées Livernois, Notman, Lebel ou Vallée, on les regarderait avec admiration. 🦒 Découvrons avec curiosité ce recueil de photographies. Apprécions à chaque instant la magie qui ne cessera jamais de nous impressionner. La photographie retient ce que la mémoire échappe. Elle alimente nos souvenirs. Elle garde fidèlement les traits des êtres aimés, l'image de son enfant, le visage de sa mère. Elle arrête la fuite du temps.

Régis Jean, *conservateur*
Musée du Bas-Saint-Laurent

Le quotidien

La mémoire vivante, par le témoignage oral des plus âgés d'entre nous, constitue le matériel le plus abondant, le plus varié, mais aussi le plus fragile. On y puise souvent des informations sur le quotidien : la partie la moins officielle, la moins archivée de notre histoire. La vie quotidienne s'organise autour de la femme, cette moitié de la société. Travaillante et dévouée, elle sera présente au foyer, vu le nombre de grossesses répétées. Bienveillante et tolérante, elle véhicule les valeurs, enseigne aux jeunes le sens des responsabilités. Le père, trop absent du quotidien, y joue un rôle effacé. Avec ses longues journées de labeur, il sera un exemple de prévoyance et de ténacité. La religion chapeaute, quant à elle, toutes les activités. De grand-messe en naissance, de croix de chemin en bénédicité, elle ponctue la vie quotidienne en aménagements prévus pour un Dieu omniprésent, un Dieu tout-puissant.

Aux limites de la mémoire

vers 1905

Ces jeunes enfants, adossés un instant à la palissade, semblent attendre que nous les retrouvions. Sont-ils sur le chemin de l'école, en route vers le comptoir de bonbons ou vont-ils tout simplement rejoindre leurs amis ? Engageons-nous, avec eux, sur le long trottoir de bois et laissons-nous emporter jusqu'aux limites de la mémoire.

Les enfants sur la rue Iberville, Rivière-du-Loup. Photo : Jean-Baptiste Dupuis – N° 478

Le terrain de jeu
vers 1930

Quelques enfants s'amusent devant le bureau de poste. Quoi de plus commun… et en même temps, quoi de plus merveilleux? Ces bambins pour qui le monde entier est un vaste terrain de jeu n'ont nul besoin de jeux vidéo ou de cinéma hollywoodien. Les deux passagers du chariot, au second plan, arborent un air espiègle digne des plus grands joueurs de tours.

Devant le bureau de poste, Saint-Alexandre (Kamouraska). Photo : Marie-Alice Dumont – N° 7303

Pour l'amour d'une fleur

vers 1930

Si le potager est utile, les fleurs sont agréables et leurs couleurs apportent beauté et chaleur. L'été, les dahlias, les pivoines et les roses entourent la maison. On cultive les fleurs pour leur beauté et leur parfum. Selon les espèces, on rentre les bulbes dans la cave à l'automne, on récolte précieusement les graines, on en échange avec les voisins pour varier les couleurs, pour embellir encore les allées fleuries.

Fillette cueillant une fleur au jardin, Saint-Alexandre (Kamouraska). Photo : Marie-Alice Dumont – N° 1573

Moi, je serai la maman et toi, tu seras le papa...
1921

Fernande et Paul-Édouard jouent au jardin. La maman est absorbée par son tricot tandis que le papa fume sa pipe et se repose de sa dure journée. Dès son plus jeune âge, l'enfant s'identifie à ses parents et reproduit les faits et gestes qu'il observe et enregistre. S'il est vrai que les temps changent, les enfants, eux, restent les mêmes.

Enfants déguisés, Rivière-du-Loup. Photo : Paul-Émile Martin – N° 46

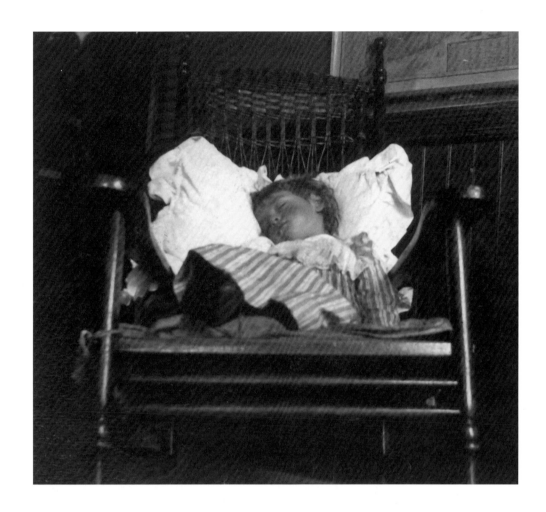

Laissez rêver l'enfant qui dort
vers 1915

« Ce soir, on veille tard », ont dû se dire les parents de ce bambin. « Installe-toi sur la chaise, puis regarde-nous jouer aux cartes », furent probablement les derniers mots entendus par l'enfant avant de glisser, lentement, dans les bras de Morphée. La chaise berçante qu'on retrouve alors dans chaque foyer québécois, la robe de nuit que portent filles et garçons et le moelleux oreiller, à la fois dossier et matelas, nous rappellent que le confort fait aussi partie du quotidien.

Enfant endormi sur un fauteuil. Photo : Fonds famille Breton-Chamberland

Retraite paisible
1922

Le grand frère de quatre ans et demi veille minutieusement sur les premiers pas de sa petite sœur. Il porte les cheveux en boudins et les conservera ainsi jusqu'à son entrée à l'école, vers l'âge de six ans. Derrière, un ancien tramway de la ville de Québec vit une retraite paisible, déguisé en pavillon de jardin.

Enfants près d'un tramway. Photo : Paul-Émile Martin – N° 50

Les labours d'automne

vers 1930

La récolte est rentrée et la neige recouvrira les champs dans quelques semaines. Déjà, l'agriculteur prépare la terre pour la semence du printemps. Le soc de sa charrue déchire la terre d'un long sillon bien droit, les chevaux avançant d'un pas puissant et régulier. L'homme tient les manchons fermement et jette un œil de temps à autre sur ses deux petits garnements qui jouent pieds nus dans la terre fraîchement remuée.

Les labours, Saint-Alexandre (Kamouraska). Photo : Marie-Alice Dumont

Le temps des récoltes
vers 1930

Les jours plus courts, les soirées fraîches, la lumière oblique... pas de doute, le temps des récoltes est arrivé. Il faut profiter de chaque journée ensoleillée pour faucher et amasser le produit des terres qui nourrira hommes et bétail. Cette photographie illustre le travail difficile, mais combien satisfaisant, des moissons. Deux paysans achèvent de constituer les meules qui seront séchées au soleil, avant d'être précieusement engrangées.

La récolte des grains, Saint-Alexandre (Kamouraska). Photo : Marie-Alice Dumont

La sieste

1925

Après le repas, Uldéric et Marie somnolent dans la cuisine familiale. Le travail, certainement, et peut-être l'habitude de ces siestes bienfaisantes rendent nécessaires de tels moments de repos. Ce geste pourtant banal prend une dimension profondément humaine devant ce couple âgé. On ne sent pas la paresse ni l'abandon dans leur attitude mais plutôt un bien-être contagieux.

Les parents endormis à la table, Saint-Alexandre (Kamouraska). Photo : Marie-Alice Dumont

Un repos bien mérité
1925

Les parents de la photographe Marie-Alice Dumont se reposent dans les marches de l'escalier. Le temps de fumer une pipée, de flatter le matou, d'échanger quelques mots à propos des enfants et il sera temps de retourner au travail, jusqu'à la tombée de la nuit. La même scène se reproduira, invariablement, jour après jour jusqu'à l'arrivée des temps froids.

Les parents de Marie-Alice Dumont sur la galerie, Saint-Alexandre (Kamouraska). Photo : Marie-Alice Dumont

Au verger
1925

Le pommier est, depuis toujours, l'un des arbres fruitiers qui résistent le mieux au dur climat québécois. Il était possible, pour qui possédait une terre ou un grand terrain, d'aménager un verger qui donnerait des fruits frais, denrée rare en ce début de siècle. Pour bon nombre de familles, la cueillette des pommes faisait partie d'une activité saisonnière à laquelle on ne manquait pas de participer. Cet homme, monté sur un escabeau, achève de remplir son panier de fruits juteux.

La cueillette des pommes, Saint-Alexandre (Kamouraska). Photo : Marie-Alice Dumont – N° 344

Entre les corvées

vers 1905

Les journées de travail longues de seize à dix-huit heures ne sont pas rares pour celles qui, en plus de la maison et des enfants, doivent prêter main forte aux travaux extérieurs. Entre les corvées, ces six femmes prennent une pause le long d'un étang. Il est remarquable de constater que ces travailleuses demeurent élégantes même avec des tenues tachées par le travail.

Le travail aux champs. Photo : Jean-Baptiste Dupuis – N° 293

Première étape
1925

Le montage du métier à tisser exige plusieurs heures de travail. Le passage à l'ourdissoir en est la première étape. Le fil, d'abord tendu entre les grosses chevilles de bois, est alors mesuré selon le nombre et la dimension des pièces qui seront tissées sur le métier. Le passage des fils entre les lames de lin constitue une véritable épreuve de patience. La mère, dont la vue commençait à baisser, faisait appel aux enfants pour ce travail de précision. Mais gare à celui qui va trop vite: en cas d'erreur, il fallait tout défaire et recommencer.

Le montage à l'ourdissoir, Saint-Alexandre (Kamouraska). Photo : Marie-Alice Dumont – N° 1549

Cent fois sur le métier remettez votre ouvrage
1925

Marie-Louise Dumont tisse des couvertures de laine en juillet 1925. On installe souvent le métier à tisser au grenier de la cuisine d'été en raison de l'espace qu'occupe un tel appareil. Chaque ferme possédait autrefois tous les instruments requis pour transformer la laine : rouet, cannelier, tournette, dévidoir, métier à tisser...

Marie-Louise Dumont au métier à tisser, Saint-Alexandre (Kamouraska). Photo : Marie-Alice Dumont – N° 1548

Avez-vous besoin de quelque chose?
1929

Un marchand itinérant propose ses produits Watkins à une dame de Saint-Alexandre. Comme à chaque fois, il montre sa marchandise et déballe son boniment. La vaste campagne québécoise, avec ses innombrables rangs et routes parsemés de maisons, avait provoqué l'essor de ces « représentants à domicile ». L'avènement de l'automobile, l'amélioration des réseaux routiers et le dépeuplement des zones rurales provoquèrent plus tard la quasi-disparition de ces commerçants.

La visite du marchand itinérant, Saint-Alexandre (Kamouraska). Photo : Marie-Alice Dumont

Les emplettes
1901

La visite au Magasin général Poirier est incontournable. Les biens de première nécessité, comme les vêtements, côtoient les produits utilitaires et les marchandises de luxe. Le Québec comptait, au début du siècle, plusieurs centaines de magasins généraux… près d'un commerce de ce type par 1 000 habitants. Comme il se doit, chacun se targue de pouvoir accommoder n'importe qui et d'offrir les meilleurs prix. Les dépanneurs, qu'on retrouve aujourd'hui en aussi grand nombre, ont pris le relais.

Le Magasin général Poirier à Rivière-du-Loup. Photo : Stanislas Belle – N° 5550

Cortège funèbre
vers 1925

La dépouille mortelle était transportée à l'église dans un corbillard richement sculpté, tiré par deux chevaux noirs. Les chapeaux hauts de forme et parfois la fanfare défilant dans les rues de la ville accompagnaient le défunt jusqu'à sa dernière demeure. Dans certains villages, cette tradition a su défier le temps et on retrouve aujourd'hui des cortèges... plus colorés!

Corbillard sur la rue Fraserville à Rivière-du-Loup. Photo : Antonio Pelletier

St. Roch. des Aul.

Place de choix

vers 1910

Si vous êtes notaire, médecin, avocat ou commerçant fortuné, vous convoitez la place d'honneur, celle qui est la plus près de l'église. Cela prouvera que vous avez réussi dans la vie. Aussi, les dames de votre famille pourront circuler dignement sur des trottoirs de bois protégeant robes et chaussures. L'activité préférée consistera, bien sûr, à regarder déambuler les passants à partir de la galerie ou de l'escalier.

Près de l'église de Saint-Roch-des-Aulnaies. Photo : Jean-Baptiste Dupuis – N° 635

Au chalet
1923

Quel bonheur de se rendre au chalet, prendre l'air sur la grève et sentir le vent frais du fleuve, à Saint-Denis-De La Bouteillerie. Le bébé s'éveille à peine de sa sieste, sans doute dérangé par le grand frère plus turbulent. Sur les galets de la plage, l'accordéon entraîne déjà tout ce beau monde dans un rigodon. C'est souvent lors de ces moments de détente que les musiciens autodidactes dévoilent leurs talents de joueurs d'harmonica, de cuillères et de violon.

La grève de Saint-Denis (Kamouraska). Photo : Paul-Émile Martin – Nº 31

Vue sur la mer
1923

Les promenades vers les plus beaux sites de la région constituent une activité de détente idéale pour la famille. Les Martin posent ici sur la magnifique balustrade, érigée en belvédère, au Château Allan à Cacouna. Lieu de villégiature et de repos, on y retrouve un panorama impressionnant sur les montagnes de Charlevoix. Le jeune Paul-Édouard, à califourchon sur une lampe ornementale sculptée en bois, ainsi que le chien, installé négligemment sur la rampe, sont les héros de cette scène.

Belvédère du Château Allan de Cacouna. Photo : Paul-Émile Martin – N° 20

La corde de bois
1925

La neige fond de jour en jour. On achève de couper et de fendre le bois qui alimentera le poêle l'hiver prochain. Les arbres abattus à l'automne sont transportés jusqu'à la maison au début de l'hiver, à la faveur des bons chemins durcis par le gel. On entendra, pendant la morte saison, le bruit régulier du sciotte qui chante au contact des billes d'érable et de bouleau... une tâche exigeante mais néanmoins essentielle pour passer l'hiver bien au chaud.

Le père de Marie-Alice Dumont préparant le bois de chauffage, Saint-Alexandre (Kamouraska). Photo : Marie-Alice Dumont – N° 6886

Corvée de broyage de lin

vers 1910

On exploite et transforme cette plante en un tissu raffiné depuis des millénaires. Le lin est arraché à l'automne et, après plusieurs opérations de séchage et de mûrissement, sa tige est broyée pour en extraire la fibre qui sera filée ultérieurement. Ce travail est généralement accompli par les femmes qui réunissent les voisins lors d'une corvée. On entend alors le bruit sec et rythmé des brayes qui claquent avec énergie sur le lin et, parfois, les rires ou les pleurs d'un jeune enfant qui colle aux jupes de sa mère.

La préparation du lin. Photo : Jean-Baptiste Dupuis – N° 333

Notre pain quotidien
1926

Madame Marie Dumont s'affaire à la préparation du pain de ménage sous l'œil intéressé de son petit-fils qui a moulé son propre pain dans une petite casserole. La cuisson du pain s'effectuait généralement dans un four extérieur mais l'hiver, on utilisait le four du poêle de cuisine. Plus qu'une simple corvée hebdomadaire, cette tâche prenait un double sens pour ces gens. Le pain, élément de base de l'alimentation, symbolise également la nourriture sacrée, celle qu'on allait chercher pieusement le dimanche à la Sainte Table.

La mère de Marie-Alice Dumont fait du pain, Saint-Alexandre (Kamouraska). Photo : Marie-Alice Dumont – N° 1546

Faire du neuf dans du vieux...
1925

Le plus jeune a besoin d'un manteau pour aller à l'école? La mère prouvera, une fois de plus, ses talents de « bonne ménagère » et parviendra à le tailler dans le vêtement usé de l'aîné. Ce travail exigeant calme et concentration est souvent exécuté pendant la soirée ou la nuit. Et les enfants s'endorment, bercés par le bruit régulier du « moulin à coudre ».

Femme à la machine à coudre, Saint-Alexandre (Kamouraska). Photo : Marie-Alice Dumont – N° 6850

Dure journée

vers 1910

Après une journée épuisante, passée à trimer dur à la ferme et sur la terre, un homme et son fils prennent quelques minutes de répit avant de passer à table. Le père, droit et fier, vient d'accrocher sa veste. On sent sur son visage une volonté et une autorité incontestables. Le fils, en tenue de travail, n'a pas encore eu le temps de s'éponger le front. Son visage bronzé et sali par la poussière, ainsi qu'une mèche de cheveux tombant sur l'œil droit, lui donnent un air rebelle.

Le retour du travail. Photo : Jean-Baptiste Dupuis – N° 521

La bête à tout faire...

vers 1930

Considéré comme le meilleur ami de l'homme, le chien est aussi un serviteur dévoué et loyal qui rend bien des services : on l'attelle au traîneau l'hiver, à une voiture plus légère l'été, il court rassembler les vaches aux champs, garde la ferme, empêche les enfants d'aller sur la route... Complice inestimable dans tous les jeux, la brave bête se plie avec patience aux fantaisies de ses jeunes maîtres : pipe, chapeau melon, lunettes... Et quoi encore ?

Un attelage original, Saint-Alexandre (Kamouraska). Photo : Marie-Alice Dumont – N° 7157

Témoin de la Foi
1909

Un petit hameau, quelques maisons isolées, trop loin du village, rendent la pratique religieuse difficile. Comment aller à l'église tous les jours quand on prend plus d'une heure pour s'y rendre et autant pour en revenir? La croix de chemin comble ce besoin et permet aux fidèles de se recueillir lors de la prière du soir. Partout au Québec, dans des endroits souvent inattendus, se dressent encore ces croix de chemin.

La croix de chemin du bras Saint-Denis, Saint-Denis (Kamouraska). Photo : Paul-Émile Martin – N° 64

Ite missa est

vers 1910

Le retour de la grand-messe par un beau dimanche ensoleillé. Les femmes arborent leurs plus belles toilettes, leurs chapeaux élégants aux côtés des hommes, eux aussi tirés à quatre épingles. Les enfants « endimanchés » sont, l'espace d'un court moment, encore tout propres. Même les chevaux portent leurs harnais du dimanche lors de cette activité qui, pour plusieurs, constitue la seule sortie de la semaine.

Le retour de la messe sur la côte de Beaupré. Photo : Paul-Émile Martin – N° 14

Les loisirs

Une invention récente [...] que le loisir ? Pas vraiment. Entre le travail et les corvées, les gens s'amusent ferme et d'abord en famille. Pas besoin de vidéo, de télé ou de Nintendo, on s'organise entre nous, dedans comme dehors, de jour comme de soir. On n'a pas peur de bouger, de sortir, de chanter, même la religion est prétexte à fêter. 🐾 Avant tout familial, le loisir prend souvent le visage d'une activité sociale. De théâtre en fanfare, de partie de pêche en baignade au fleuve, de parade en course de chevaux, l'été est la saison des loisirs. Mais on sait aussi s'acclimater. Ski ou raquette, glissade ou hockey, on joue avec la neige, la glace et le froid. Hip, hip, hourra !

Musique de chambre
1913

À l'époque du phonographe, bien avant les enregistrements haute-fidélité, la meilleure musique est la plupart du temps celle que l'on entend en direct. De temps à autre, les gens se réunissent dans un salon privé pour assister à un instant magique, un concert donné par de jeunes et talentueux musiciens. Chut! Taisons-nous. La représentation va commencer.

Les musiciens, Rivière-du-Loup. Photo : Paul-Émile Martin – N° 44

Fascinant
1901

La fascination créée par l'arrivée du phonographe fut semblable à l'impact de la télévision, un demi-siècle plus tard. D'un seul coup, les grands orchestres de partout à travers le monde deviennent accessibles. Malgré une qualité sonore imparfaite, cette nouveauté constitue un attrait pour tous les habitants d'un quartier ou d'une ville. On invite le propriétaire pour des représentations privées où peuvent se masser plusieurs dizaines de personnes. Le jeune garçon semble subjugué par ce rouleau de cire qui, quelques instants auparavant, laissait filtrer Le Beau Danube bleu.

En écoutant le phonographe, Rivière-du-Loup. Photo : Paul-Émile Martin – N° 28

Diner à la 1er juillet

Plus on est de fous, plus on rit !
1929

« Chère Hélène, on a assez eu du plaisir! Nous nous étions toutes donné rendez-vous dans la cour de l'église à huit heures. Nous avons fait le trajet à l'arrière du camion, toutes entassées dans la boîte, au grand vent. Il faisait assez beau ! Arrivées au fleuve, nous avons pique-niqué toutes ensemble. Nous étions toutes là. Quel dommage que tu n'aies pas pu assister à ces retrouvailles. Mais, j'ai pensé que tu aimerais un petit souvenir du groupe: tu reconnaîtras les plus sages et ... les autres. Tu vois comme notre chauffeur était découragé de nous voir ! »

Un pique-nique à la pointe de Rivière-du-Loup. Photo : Marie-Alice Dumont – N° 1687

Faire trempette
1927

Plouf, tout le monde à l'eau. Fleuve, rivières, lacs, c'est la campagne, c'est l'été... Vive les vacances ! La belle-sœur et ses filles sont venues de la ville en visite. Tous n'ont pas de maillot mais on peut quand même faire « trempette ». La propreté de l'eau du fleuve permettait encore la baignade partout le long des côtes. Personne ne pouvait alors imaginer qu'un jour, l'eau serait polluée au point d'éliminer le plus grand plaisir de l'été.

Baignade au fleuve, Rivière-du-Loup. Photo : Fonds famille Breton-Chamberland

Mens sana in corpore sano
1897

« Le décompte est bon, on peut rentrer », semblent se dire les responsables de cette excursion en raquettes près du Collège Sainte-Anne-de-la-Pocatière. Au-delà de l'aspect sportif de l'activité, les prêtres tentaient surtout de purifier l'esprit de cette jeunesse trop sujette aux mauvaises pensées. Comme Pierre de Coubertin aimait tant à le rappeler : « mens sana in corpore sano »... un esprit sain dans un corps sain.

Promenade en raquettes au Collège Sainte-Anne-de-la-Pocatière. Photo : Paul-Émile Martin – N° 39

Corvée de glaçage
1897

La vie de séminariste était ponctuée de fréquentes activités de groupe destinées à comprendre la nécessité du travail et la valeur de l'effort. Si les jeunes voulaient s'amuser, il leur fallait mériter les temps de loisirs... et même édifier, à la sueur de leur front, les infrastructures nécessaires. La corvée de glaçage de la glissade s'inscrivait dans cette dynamique. Pelles et balais pour aplanir la piste, barils et chaudières pour l'arroser, chaque opération devait être répétée à deux ou trois reprises avant la première descente.

Glaçage de la glissade, Collège Saint-Anne. Photo : Paul-Émile Martin – N° 41

Descente masculine
vers 1930

Bien avant les régies intermunicipales et autres services de loisirs, les Québécois pratiquaient vigoureusement les sports d'hiver. On se structure, on s'organise et puis hop, tout le monde en skis ! Cette fois-ci, on va essayer les chutes de Rivière-du-Loup. La montée est ardue mais la descente n'en sera que plus gratifiante. Mais attention ! Celui qui aura le malheur de trébucher verra sa pirouette immortalisée par ce photographe impromptu.

Ski aux chutes de Rivière-du-Loup. Photo : Ulric Lavoie – N° 1008

En toboggan
vers 1910

Ah! Rien ne remplace l'ivresse de la vitesse, l'air glacial piquant les yeux puis les longues remontées à se raconter combien la descente était excitante. C'est probablement ce dont se souviennent toutes les personnes ayant profité de ces fabuleuses journées de glissade. Cette installation, située à Montréal, constitue un site privilégié pour la pratique des sports d'hiver en proposant raquette, toboggan et air vivifiant.

Glissade quintuple dans la région de Montréal. Photo : Paul-Émile Martin – Nº 35

La récompense
1911

Si en France, ce sont les hirondelles qui annoncent le printemps, au Québec, c'est le temps des sucres. Aux premiers beaux jours, les érables se mettent à couler et on peut enfin goûter à la délicieuse tire. Le festin et la fête constituent probablement la meilleure récompense que peuvent offrir les Frères des écoles chrétiennes à leurs protégés. Mais le relâchement n'est pas permis, même à la cabane : cravate, veston et béret restent en place sous l'œil vigilant des frères accompagnateurs.

Partie de sucre au Collège Saint-Patrice, Rivière-du-Loup. Photo : Jean-Baptiste Dupuis – N° 10

Faces de Mardi gras !

vers 1930

Les déguisements sont aujourd'hui très populaires à l'Halloween mais il faut se rappeler que tels débordements se produisent depuis des siècles. Vêtus de vieux vêtements trop grands, le visage masqué ou noirci de suie pour éviter d'être reconnus, enfants et adultes font la tournée des maisons et courent le Mardi gras. Mais attention, la fête doit se terminer avant minuit car le carême mettra fin à toutes ces réjouissances.

Enfants déguisés pour le Mardi gras. Photo : Fonds famille Breton-Chamberland

Au théâtre !

vers 1925

La troupe de théâtre amateur du Cercle Frontenac pose pour la postérité sur les marches du Théâtre Princesse. De chaque côté, des affiches présentent les vedettes hollywoodiennes de l'heure : David Powell et le grand Buster Keaton. Le Québec compte alors plusieurs dizaines de magnifiques amphithéâtres qui seront, pour la plupart, détruits au cours des années 1970 et 1980. Le déclin du théâtre amateur et l'avènement du cinéma vidéo auront sonné le glas de ces témoins privilégiés de notre histoire.

Acteurs du Cercle Frontenac devant le Théâtre Princesse, Rivière-du-Loup. Photo : Ulric Lavoie – N° 255

Le retour des croisades
1915

Coiffés de casques de combat, munis d'armures et d'épées, ces preux guerriers semblent sortis tout droit des livres d'histoire. Ils nous font revivre le temps de la Guerre sainte, du roi Richard Cœur de Lion et du cruel Prince Jean. Ces acteurs du collège des Frères des écoles chrétiennes présentent la pièce de fin d'année sous la conduite énergique du frère Théonestus. Ces séances représentent pour plusieurs une première initiation au monde du théâtre et à la création artistique.

Acteurs du Collège Saint-Patrice, Rivière-du-Loup. Photo : Ulric Lavoie – N° 756

Et en avant la musique !
1893

Dans chaque ville, la fanfare est de toutes les fêtes, tant religieuses que civiles. Pour les participants, il s'agit souvent de l'apprentissage d'une discipline de groupe et d'une introduction à l'univers musical. Pour le public, toujours nombreux à assister aux représentations, la fanfare est synonyme de joie de vivre et de célébration. On voit ici l'Union musicale du Collège Sainte-Anne-de-la-Pocatière. Composé presque exclusivement de cuivres, l'ensemble, qui pouvait se produire plus de cinquante fois par année, interprétait surtout des marches et des valses.

Fanfare du Collège Sainte-Anne-de-la-Pocatière. Photo : Paul-Émile Martin – N° 40

Dans une ligue à part
1929

Le sport, comme bien d'autres activités, était principalement réservé aux hommes. La somme de travail assumée par la femme l'empêchait de s'impliquer à l'extérieur de la maison. Malgré tout, certains groupes de jeunes femmes, souvent issues de milieux aisés et scolarisés, réussissaient à impressionner, notamment par la formation d'équipes de hockey féminines. Ces jeunes audacieuses n'y perdaient pas pour autant leur féminité et leurs bonnes manières, comme le montre l'élégance de la pose.

L'équipe des Artisans Canadiens-Français, Rivière-du-Loup. Photo : Ulric Lavoie – N° 10910

Banquiers vs Shamrocs   Fraserville

Lance et compte

vers 1910

La plupart des grandes vedettes de hockey, jusqu'à tout récemment, ont commencé à patiner sur des étangs glacés ou sur des patinoires extérieures. Dans chaque quartier, des surfaces rugueuses et bosselées servent de site d'entraînement et de jeu pour des milliers d'adeptes qui, chaque fin de semaine, déferlent sur la glace. Pour ces groupes de sportifs ou de travailleurs qui s'affrontent, la seule récompense est le plaisir et l'honneur. Banquiers et Shamrocks disputent ici une partie serrée, sous l'œil d'un arbitre dont la tenue vestimentaire nous semble aujourd'hui un peu inusitée.

Les Banquiers vs les Shamrocks, Rivière-du-Loup. Photo : Jean-Baptiste Dupuis – No 156

Contes du Bas-du-Fleuve !

1898

« Il fut un temps, pas si lointain, où les chasseurs n'avaient qu'à tendre le bras pour attraper la bête de leur choix .» Les notions, assez récentes, d'espèces protégées ou en voie d'extinction, réglementation, permis et quota ne prévalent pas. La loi du plus fort ou du plus habile est, la plupart du temps, la première et seule règle du jeu.

Chasse au chevreuil, Rivière-du-Loup. Photo : Stanislas Belle – N° 503

Visite aux Escoumins
vers 1913

Un voyage sur la côte nord du fleuve Saint-Laurent était incomplet sans un arrêt à l'un des villages amérindiens disséminés le long de la côte. Ici, la famille Ross accueille fièrement des visiteurs à la pointe des Escoumins. C'était l'occasion de se procurer paniers tressés, mocassins joliment décorés et autres fruits de l'artisanat montagnais.

Une famille de Montagnais, Les Escoumins. Photo : J.-Adélard Boucher

Pêche miraculeuse

vers 1900

Qui n'a pas souri un jour en entendant son grand-père parler d'une époque où le poisson mordait avant que la ligne n'atteigne la surface de l'eau ? Eh bien, s'il vous fallait une preuve, la voilà ! Ces pêcheurs exhibent leurs prises après une autre très fructueuse journée. Il n'est pas rare de retrouver, dans les fonds photographiques du début du siècle, ces scènes capables de faire saliver le plus blasé des pêcheurs.

Partie de pêche dans la région du lac Témiscouata. Photo : Stanislas Belle – N° 517

Patience et longueur de temps...
vers 1930

Très loin de la pêche sportive, cette photographie nous ramène à l'essentiel de cette activité millénaire. Un plan d'eau, une branche d'arbre, quelques mètres de fil et un appât sommaire suffisent à animer quelques heures de détente. Avec un peu de chance, toute la famille se régalera au souper des truites fraîches que ramèneront ces pêcheurs émérites.

Pêche à la ligne dans la rivière du Loup, Saint-Alexandre (Kamouraska). Photo : Marie-Alice Dumont – N° 1602

Partons la mer est belle !

vers 1910

On croit entendre fredonner ces trois marins du dimanche à l'aube de leur excursion hebdomadaire. Amarrés à un quai de fortune, à proximité du village de Sainte-Catherine-de-la-Jacques-Cartier, deux d'entre eux s'apprêtent à partir à bord d'une embarcation dotée d'une voilure on ne peut plus artisanale. Le faible vent les obligera probablement à ramer ferme pour atteindre leur objectif.

Promenade sur la rivière Jacques-Cartier à Sainte-Catherine (Portneuf). Photo : Jean-Baptiste Dupuis – N° 249

La chèvre de monsieur... Martin
vers 1920

Contrairement à ce que laissait croire le conte d'Alphonse Daudet, toutes les chèvres ne sont pas avides de liberté. Celle-ci semble tout à fait heureuse de servir de force motrice à l'attelage du jeune Paul-Édouard et de sa mère. Mais ne nous méprenons pas, la chèvre servait essentiellement aux menus travaux et aux attelages légers. L'animal n'aurait pas supporté l'exigeante besogne demandée aux chevaux et aux bœufs.

Une promenade dans le bois, Saint-Denis (Kamouraska). Photo : Paul-Émile Martin – N° 11

Mais il est bien court, le temps des cerises...

1924

Quel plaisir d'aller cueillir les cerises en famille à la Petite Anse de Rivière-Ouelle ! Tous se délectent à l'avance des bonnes tartes qu'on préparera à la maison, au retour de l'expédition. L'hiver venu, en dégustant les confitures et la gelée, reviendra le souvenir de ce beau dimanche après-midi, cette journée de pur bonheur passée sous le chaud soleil de juillet.

La cueillette des cerises, Rivière-Ouelle. Photo : Paul-Émile Martin – N° 62

Marchands d'illusions

vers 1905

De tout temps, villes et villages ont accueilli avec excitation et fébrilité les marchands d'illusions. Musique tapageuse, chevaux empanachés, costumes flamboyants, le cirque arrive en ville. Tous ceux qui ont gardé leur cœur d'enfant se pressent sur le passage du convoi, chacun se promettant de ne pas manquer la première représentation. L'espace de quelques jours, trapézistes, dompteurs, équilibristes, clowns et saltimbanques rompront la monotonie du quotidien avant de plier le chapiteau pour une nouvelle ville.

Arrivée du cirque à Rivière-du-Loup. Photo : J.-Adélard Boucher

Les paris sont fermés... la course va commencer !

vers 1910

Les Québécois ont toujours eu la passion des chevaux. Non seulement l'utilisent-ils pour le moindre travail, mais aussi pour tous leurs déplacements. D'ailleurs, chacun rêvait de posséder le trotteur le plus rapide de la paroisse et plusieurs étaient prêts à y mettre le prix fort. La plupart des villes d'une certaine importance possédaient un « rond de courses », un hippodrome où l'on organisait, été comme hiver, des courses de chevaux.

Course de chevaux à Rivière-du-Loup. Photo : Jean-Baptiste Dupuis – N° 493

Jeu de Pelote

Barouche !

vers 1910

Le tournoi de pelote, appelée aussi « balle au mur », est terminé. Le champion vient de servir à son adversaire sa « barouche » , qui consiste à faire ricocher la balle sur deux murs lors du service. Ce coup redoutable lui vaut, encore une fois, le convoité championnat du Collège Sainte-Anne. La plupart des collèges classiques et des pensionnats pour garçons disposaient de tels équipements sportifs. Les autorités de ces vénérables institutions avaient déjà compris l'importance de l'activité physique dans le défoulement des adolescents dont ils avaient la responsabilité.

Jeu de pelote, Collège de Sainte-Anne-de-la-Pocatière. Photo : Jean-Baptiste Dupuis – N° 492

En route vers Wimbleton
vers 1900

Le loisir et la détente s'organisent souvent autour de la maison. Tennis, balançoires et bicyclette se complètent dans une scène typique de la vie familiale québécoise en ce début de siècle. Chacun tente, à sa manière, de profiter des beaux jours d'été avant que l'on ne soit à nouveau confiné, l'automne venu, aux activités intérieures.

Bicyclette et tennis devant la maison des Lebel, Cacouna. Photo : Stanislas Belle – N° 177

Le vieil homme et la mer

vers 1900

C'est une image comme celle-ci que devait avoir en tête Hemingway lorsqu'il écrivit son célèbre récit. Assis devant cette mer qu'il respecte et qu'il aime, coiffé d'une éternelle casquette de marin, le personnage contemple l'horizon, à l'écoute d'un signal venant des vagues ou du vent. Ce moment de sérénité et de silence, d'un humain face à un géant, montre à quel point la fascination devant l'infini et l'inconnu est universelle.

Sur le bord du fleuve, à Cacouna. Photo : Stanislas Belle – N° 174

C'est l'aviron qui nous mène, qui nous mène...
vers 1910

Les havres naturels disséminés tout le long du fleuve Saint-Laurent attiraient, chaque beau jour d'été, de nombreux amateurs d'activités nautiques. Quelques heures passées au milieu de cette voie d'eau qui ignorait encore les tortures infligées par l'activité humaine, faisaient oublier les aléas de la vie citadine. Femmes et enfants en proue, hommes en poupe, c'est l'aviron qui les menait à bon port.

En canot sur la rivière, devant l'usine de Narcisse Pelletier, Rivière-du-Loup. Photo : Jean-Baptiste Dupuis – N° 271

Étêter les vagues
vers 1910

Les plans d'eau de toutes sortes — fleuve, lacs et rivières — pullulent au Québec, ce qui explique la variété des embarcations. Mûs par la force éolienne, ces frêles esquifs à fond plat sont conçus pour les échanges entre rives et villages. Les jours de congé, le véhicule tranquille se transforme en flèche aquatique. Pour ressentir la vraie liberté, rien de mieux qu'une journée entre amis passée à étêter les vagues.

Voilier sur le fleuve Saint-Laurent. Photo : Paul-Émile Martin – Nº 53

Mont Royal
1907

Par un beau dimanche après-midi, on bavarde et on laisse passer le temps à l'Observatoire du parc. Dessiné et aménagé il y a près d'un siècle, ce parc a connu un engouement presque instantané. Les citadins, entassés dans une ville principalement industrielle, profitent le plus souvent possible des qualités panoramiques du site, en plus d'y trouver air pur, végétation abondante et relative tranquillité.

Promenade au parc, sur le mont Royal, Montréal. Photo : Paul-Émile Martin – N° 36

La famille

La famille, cœur de la communauté, est très valorisée. On la retrouve nombreuse dans les milieux modestes ou aisés. Grâce à elle, on évite les grands problèmes qui minent, aujourd'hui, notre société. Jamais seul, le bambin grandit dans sa famille, cette petite communauté. Les jeux des tout-petits, entre frères, sœurs ou amis imaginaires, les poussent à imiter : on joue à être grand. D'enfant, le jeune passe sans transition à l'âge adulte : l'adolescence n'est pas encore inventée. Au rythme des saisons, de semailles en moissons, à son tour, il fera le passage des générations. Les personnes âgées, au lieu d'être concentrées dans des foyers, sont intégrées à la vie familiale : on les écoute. Par elles se transmet la tradition : on leur demande de raconter.

Vie familiale
vers 1910

Les résidences pour personnes âgées sont apparues très récemment. Au début du siècle, les grands-parents demeuraient avec l'un ou l'autre de leurs enfants jusqu'à leur décès. Cette pratique, bien sûr, enrichissait la vie familiale mais alourdissait le quotidien de ces familles au revenu modeste. Une rallonge à la maison, parfois une laiterie en annexe, souvent un enclos pour les animaux permettaient de loger et de nourrir tout ce monde et de demeurer sur la terre ancestrale.

Une famille devant sa modeste maison. Photo : Jean-Baptiste Dupuis – N° 645

Plein les bras

1925

Une brève incursion dans le Québec rural et agricole nous montre toutes les responsabilités qui incombent à la mère. Non seulement doit-elle s'occuper de la maison et des repas, mais c'est souvent cette dernière qui, matin et soir, trait les vaches. Dans une ferme privée d'électricité et d'eau courante, elle effectue ces travaux tout en s'occupant de la marmaille. Dès que les enfants seront assez grands pour aller nourrir les poules et les lapins, ils pourront enfin participer, à leur tour, aux travaux quotidiens.

Une femme et ses trois enfants. Photo : Marie-Alice Dumont – N° 343

Triangle de confiance
1916

Dans la douce chaleur du poêle, un triangle de confiance se tisse entre cette grand-mère et ses deux petits-fils. Quelques mots bien pesés, une histoire racontée et parfois un doux baiser créeront, dans le cœur des deux garçonnets, des souvenirs imprimés à jamais.

La mère Piuze et les enfants près du poêle, Rivière-du-Loup. Photo : Paul-Émile Martin – N° 10

Orgueil et fierté
1920

D'une beauté incontestable, le regard volontaire et le port de tête altier, cette jeune femme tient, avec orgueil et fierté, son plus beau trophée. Comme s'il était habitué à ces séances de pose, le bambin obéit aux directives du photographe, orientant son regard au loin. On est bien loin ici des photographies protocolaires et un peu figées propres au début du siècle. La génération montante, par cette attitude volontaire et fonceuse, trace le chemin de la modernité.

La mère et son enfant, Isabelle et Paul-Édouard, Rivière-du-Loup. Photo : Paul-Émile Martin – N° 7

Je me souviens, mon grand-père disait...
1925

Le grand-père parle du temps qu'il fera, de la récolte qui vient. Il affirme que l'hiver sera neigeux puisque les oignons ont la pelure épaisse. Il raconte son temps, ses souvenirs. Le petit-fils écoute d'une oreille attentive et, comme parole d'Évangile, enregistre tout. Ainsi se transmettent la tradition, les contes, les légendes, les croyances, les valeurs ancestrales. Et, un beau jour, l'enfant se surprendra à déclarer « Mon grand-père disait... »

Le grand-père Dumont et son petit-fils. Photo : Marie-Alice Dumont – N° 1552

La hiérarchie dans la tradition
1930

Il est toujours émouvant, même aujourd'hui, de réunir en un même lieu quatre générations d'une même famille et du même sexe. À l'époque où l'espérance de vie avoisinait les 60 ans, cela relevait de l'exploit. L'aïeule trône majestueusement dans son fauteuil richement ciselé, chaque tenante de la génération suivante héritant d'un siège moins confortable que celui de son aînée. Impossible de se méprendre: les traits, l'expression, tout indique qu'elles sont de la même lignée.

Les quatre générations de la famille Dumont, Saint-Alexandre (Kamouraska). Photo : Marie-Alice Dumont – N° 5520

Visite à la ferme
1907

La minuscule Marie-Anna, dans ses plus beaux atours, visite la ferme voisine. Entre deux gros cochons qu'elle caresse comme des chatons, elle ne semble nullement terrifiée. Nous assistons ici à une visite à la ferme comme nous en connaissons encore aujourd'hui : des enfants venus des villes découvrent avec étonnement les vaches, les cochons et autres animaux qui peuplent leurs livres d'histoire.

Marie-Anna et les cochons, Rivière-du-Loup. Photo : Jean-Baptiste Dupuis – N° 400

La plus grosse bordée de l'hiver
1919

Que c'est excitant une grosse bordée de neige. Tout est blanc, silencieux, magique. Il faut absolument que le petit dernier voit ça. Pendant que les adultes s'affairent à dégager portes, fenêtres et escaliers, on a bien emmitouflé le bébé avec de chaudes et douces fourrures. Bien calé dans son traîneau, peut-être que, de ce premier hiver, se souviendra-t-il du blanc ouaté à l'infini.

Jeune enfant dans un traîneau. Photo : Paul-Émile Martin – N° 48

Une deuxième mère

vers 1910

L'aisance matérielle ou la scolarisation sont bien secondaires lorsque l'on vit dans une famille nombreuse. Dès l'âge de dix ans, la fillette se substitue à la mère et est en grande partie responsable des soins matériels et de l'éducation du cadet. Un lien étroit unira ces deux enfants qui créeront, en quelque sorte, une famille dans la famille.

Grande sœur et le bébé sur la galerie, Rivière-du-Loup. Photo : Jean-Baptiste Dupuis – Nº 198

Dans l'allée de pivoines
1923

Crinière au vent, le cheval de Madeleine s'engage dans l'allée de pivoines... Bien sûr, ses petites jambes n'atteignent pas encore les pédales, mais qu'importe ! Son grand frère lui enseignera, en temps opportun, comment maîtriser ce pur-sang. Ces jouets étaient réservés aux gens plus fortunés, la plupart des enfants devant se contenter des jouets fabriqués par leurs parents.

Dans le jardin en fleurs, Rivière-du-Loup. Photo : Paul-Émile Martin – N° 47

L'heure du thé
1912

Dans chaque milieu, les enfants répètent très tôt, sans le savoir, les gestes qui feront partie de leur vie d'adulte. On sent ici l'influence de la tradition britannique, très présente dans les milieux aisés... les deux fillettes prennent le thé. Pour le photographe, cette prise de vue est plus qu'un simple souvenir. On désire cristalliser, comme le démontrent les jouets hors du commun, le statut social atteint.

L'heure du thé sur la galerie, Rivière-du-Loup. Photo : Jean-Baptiste Dupuis – N° 338

Dimanche au parc

vers 1910

Vêtements blancs, dentelles, rubans... on va au parc. Comme on le voit sur cette photographie, les familles nombreuses ne sont pas l'apanage des milieux modestes. Cette femme prend quelques heures de répit en compagnie de ses six enfants, dont l'aînée est âgée d'à peine neuf ans. Les enfants ont reçu la stricte consigne de rester bien sages. Les habits du dimanche, blanchis et repassés au prix de plusieurs heures de travail, ne servent pas à jouer.

Une famille au parc. Photo : Jean-Baptiste Dupuis – N° 34

Bon chien !

vers 1910

L'air triste et les sourcils froncés, le petit dernier ne trouve de réconfort qu'auprès de son chien. Seul être au monde à disposer de temps et de patience, dans ces familles nombreuses où le temps réservé à chaque enfant se résume souvent à peu de choses, le gros toutou accomplit, sans le savoir, le rôle de confident. Qui plus est, le chien remplace souvent les jouets qu'on ne peut acheter, faute de moyens.

Un petit garçon serrant fort son chien. Photo : Jean-Baptiste Dupuis – N° 299

Mon ami imaginaire...
1925

Les jeux imaginaires des enfants ne datent pas d'hier. La poupée ou l'ourson, selon le cas, sont souvent les meilleurs amis des tout-petits, leur plus grand confident. Assise sur la galerie de la résidence familiale, la petite Laurette se berce, jambes croisées, en compagnie de sa fidèle compagne. Par terre, un camion et d'autres jouets indiquent que la journée a bien commencé.

Fillette sur la galerie, Saint-Alexandre (Kamouraska). Photo : Marie-Alice Dumont – Nº 1353

Une vie bien remplie

vers 1930

Pendant longtemps, le mariage constitua un engagement sacré que seule la mort d'un des époux pouvait rompre. La vie était un long chemin, ponctué de joies et de peines, de succès et d'échecs, de naissances et de décès; un chemin balisé et guidé par une Église omniprésente. Quelques grandes occasions, comme cette noce d'or célébrée en grande pompe, permettent de constater la puissance du modèle social. Religieux et religieuses, enfants et petits-enfants mettent de côté leurs projets pour récompenser la fidélité des aïeuls.

Une famille réunie pour les noces d'or. Photo : Ulric Lavoie – N° 559

Un jeune vieillard
1900

Rare moment de repos pour ce jeune vieillard. Les mains brisées, le regard usé, les traits fatigués et la barbe hirsute indiquent les épreuves qu'a subies ce corps pourtant pas si âgé. Même vêtu de ses plus beaux habits, un chandail et une veste en étoffe, on comprend que la fortune n'a pas été au rendez-vous. Pas malheureux pour si peu, le sage sait déjà qu'une vie meilleure l'attend, comme l'a dit monsieur le curé.

Un vieil homme assis dans un fauteuil. Photo : Stanislas Belle – N° 4257

L'adieu

vers 1905

Même dans ce milieu modeste, comme l'indique la planche nue entourant la scène, rien n'est ménagé pour l'adieu au dernier-né. Les dentelles du trousseau familial déployées en corolle indiquent qu'on a enveloppé l'enfant des plus beaux vêtements. La chandelle et le crucifix prouvent que, même si son passage a été bref, on a fait tout ce qui était possible. Cette scène, difficile à nos yeux peu habitués, faisait partie du quotidien. Il faudra attendre le milieu du siècle pour que des progrès notables soient enregistrés dans la réduction de la mortalité infantile.

Jeune enfant exposé à la maison. Photo : Jean-Baptiste Dupuis – N° 256

Pour le meilleur et pour le pire
1894

Deux jeunes gens, à l'aube de leur mariage, posent au studio. Déjà ils sont prêts à fonder un foyer, à élever une famille : leur jeunesse est terminée. Dans le contexte actuel, ils seraient des adolescents au milieu de leur cours secondaire. Ils auraient tellement de temps devant eux que, de leur part, on n'exigerait rien d'autre que d'étudier, grandir et s'amuser.

Un couple de jeunes mariés, lac Témiscouata. Photo : Stanislas Belle – N° 95

L'économie et les grands progrès

La culture industrielle quelques années, le pays de colo- devient un immense chantier où entre de plein fouet au Québec. En nisation décrit par Louis Hémon la matière première est non seule- ment extraite, mais aussi transformée, transportée, écoulée. Les villes apparaissent partout, avec les infrastructures civiles indispensables : c'est le temps des grands progrès. Dans un même souffle, la technologie fait un bond considérable et modifie notre manière d'agir, de vivre, de penser.

Le Québec, pays de vastes espaces, avait besoin plus que tout autre de ces innovations. Routes, ponts, réseaux d'aqueduc, barrages, téléphone et électricité servent au bûcheron comme au commis voyageur, à l'imprimeur comme au boucher. Et ça ne fait que commencer.

Sur le tapis de bois
vers 1930

Les rivières ont longtemps servi d'autoroute entre la coupe et la transformation du bois. L'eau supporte parfois les billots sur plusieurs dizaines de kilomètres. Toutefois, les rochers, troncs d'arbres et barrages naturels bloquaient sans cesse le parcours des tapis de bois, obligeant les draveurs à manier la gaffe avec force et précision. Ces équilibristes des forêts, sautant avec agilité d'un billot à l'autre, risquaient leur vie à chaque pas, chaque seconde. On les voit ici en fin de parcours, tentant de diriger le bois vers la dalle d'entrée, ultime étape du long périple qui prendra fin à l'intérieur de la scierie.

Scierie à vapeur et draveurs. Photo : Ulric Lavoie – N° 324

La nécessité, mère de l'invention
vers 1910

Les difficultés et le besoin forcent souvent l'imagination et l'ingéniosité. Les billes de bois, coupées quelques dizaines de kilomètres en amont, parviennent par flottage jusqu'à l'embouchure du Saint-Laurent. Mais encore faut-il charger cette cargaison sur les goélettes qui les transporteront jusqu'aux pulperies. Rien de plus simple : un lac artificiel soulève le bois, lequel se déverse dans une longue dalle où flottent les billes jusque dans la cale du navire. Quelques draveurs pour orienter la circulation et le tour est joué...

Vue de la rivière Noire et de la dalle pour le bois, Saint-Siméon (Charlevoix) Photo : Jean-Baptiste Dupuis – N° 406

Un pays à mesurer
1910

Découper, morceler, lotir, borner, cadastrer, mesurer... bref arpenter. Voilà le défi colossal se dressant devant cet arpenteur face à ces milliers de kilomètres carrés. Raquettes aux pieds, œil collé au viseur, il va, tel un nomade, décidant du tracé d'une route, d'une voie ferrée ou, plus souvent, d'un territoire à fragmenter.

Arpenteur au lac Long, Témiscouata. Photo : Fonds François Pelletier et Hélène Landry

Coupe à blanc
vers 1910

Un cimetière de souches chapeautées de neige. Aussi loin que porte le regard, la nature a abdiqué devant l'incessante progression de la coupe à blanc, stratégie déployée par l'homme pour extraire de la forêt tout son bois, toute sa sève, toute sa vitalité. À dire vrai, les bûcherons ont compromis cet environnement pour une bonne vingtaine d'années. Lorsque la montagne sera complètement pillée, on n'aura qu'à tout déménager ailleurs, tout recommencer.

Un camp de bûcherons. Photo : Fonds François Pelletier et Hélène Landry

Se défricher un pays
1909

Après le Saguenay–Lac-Saint-Jean, colonisé entre 1850 et 1900, les premières années du XXe siècle voient le développement de la colonisation des hautes terres bas-laurentiennes. Pour loger la famille et répondre aux besoins les plus urgents, on bâtit une maison de rondins. La vie de colon au lac Long en 1909 n'était certes pas facile; celle des femmes de colons encore moins. Et pourtant, comment ne pas lire le bonheur qui illumine le visage des enfants?

Famille de colons devant leur maison, lac Long, Témiscouata. Photo : Fonds François Pelletier et Hélène Landry

Double emploi

vers 1900

Le cultivateur sait, dès sa naissance, ce que lui réserve la vie. L'été, il défriche, laboure, sème et récolte. L'hiver, assumant pleinement son rôle de soutien de famille, il s'exile dans la forêt où une vie dure, celle de bûcheron, l'attend. La hache, le sciotte et le godendart remplacent la herse et la faux. On n'aura jamais trop vanté le courage et la détermination de ces pionniers, de ces défricheurs.

Bûcherons aux chantiers. Photo : Stanislas Belle – Nᵒ 5000

L'eau courante

vers 1910

La poussée démographique que connaît le Québec à partir des années 1850 provoque l'installation d'infrastructures importantes, notamment en ce qui concerne l'alimentation en eau potable. Avant de construire canalisations et réseaux de distribution, il faut d'abord édifier de vastes lacs artificiels avec l'aide de digues et de barrages. Totalement conçu en bois, ce type de barrage foisonne dans toutes les régions du Québec. D'un aménagement facile et peu coûteux, sa durée de vie est cependant moyenne et son entretien difficile.

Barrage du lac Morin, Saint-Alexandre (Kamouraska). Photo : Jean-Baptiste Dupuis – N° 236

Le prix à payer

vers 1910

Le confort domestique des villes a un prix parfois élevé. Il faut amener l'eau courante aux maisons, bien sûr, mais aussi construire les conduites d'égout sur des kilomètres de distance. De mains d'hommes, on creuse des tranchées pour y insérer ces énormes pièces de maçonnerie. L'effort se lit sur le visage de ces travailleurs qui payent de plusieurs milliers de coups de pelle chaque mètre de canalisation installée.

Pose de tuyau de béton. Photo : Jean-Baptiste Dupuis – N° 640

Merci M. Nobel

vers 1910

Pendant longtemps, l'humain a respecté la morphologie de son environnement. Les rochers, lacs et montagnes dictaient le tracé de la route, la dimension d'une cour, l'étendue d'une ville. La dynamite, issue du génie de Nobel, viendra tout changer dès le milieu du XIXe siècle. Un rocher, aussi immense soit-il, n'est plus un obstacle au progrès. On le fait exploser avant que les agrégats ne soient réduits en gravier, par une machine-outil sophistiquée. Bruits de tonnerre et poussière s'ajouteront à la longue liste des « avantages » de la technologie.

Minage du rocher à Fraserville. Photo : Jean-Baptiste Dupuis – N° 260

De l'eau, s'il vous plaît
vers 1925

Les Romains ont les premiers réfléchi à l'alimentation des villes en eau potable. Suivant leur exemple, de nombreuses sociétés ont rivalisé d'adresse pour inventer des systèmes toujours plus sophistiqués pour transporter l'eau d'un point à un autre. Mais l'homme vit parfois, sans le savoir, sur des richesses insoupçonnées. C'est ce que devaient se dire les promoteurs de cet engin surprenant creusant ce qu'on nomme aujourd'hui « puits artésien ». Un lourd marteau, des poulies et quelques ouvriers pouvaient procurer, en quelques jours, une eau pure à volonté.

Machine à forer un puits artésien. Photo : Marie-Alice Dumont – N° 474

La grande scie

vers 1930

Dès le début du siècle, le Québec alimente en papier une partie de l'Amérique du Nord. Il faut plusieurs dizaines de moulins et d'usines, disséminés sur l'ensemble du territoire, pour transformer les milliers de tonnes de bois en pâte, puis en papier. Dans cette scierie, on découpe les billots en tronçons, avant de les précipiter dans le déchiqueteur. Ainsi se termine le long périple amorcé dans les forêts éloignées.

La grande scie au moulin Warren, Rivière-du-Loup. Photo : Ulric Lavoie – N° 379

Pour sortir du bois
1919

La mécanisation du travail dans l'exploitation forestière s'amorce progressivement. Si le cheval est encore largement utilisé pour transporter les billes, on voit apparaître vers 1920 de lourds tracteurs à chenilles tirant des convois de bois sur les chemins gelés des chantiers. L'apparition de ces engins annonce le début d'une mécanisation complète des opérations en forêt.

Train de bois tiré par un tracteur sur chenilles, Saint-Louis-du-Ha ! Ha !. Photo : Ulric Lavoie – N° 325

La lumière électrique
1910

L'éclair de génie de Benjamin Franklin provoque dans les années 1850 une profonde révolution dans les conditions de vie. Rapidement, on éclaire rues et résidences, en partant des grandes villes pour s'étendre lentement aux campagnes. Les chutes et rivières abruptes, qui servaient déjà à actionner les moulins, deviennent encore plus importantes : l'eau est dorénavant synonyme d'électricité. Les petites centrales comme celle-ci, qui pouvaient éclairer de mille à deux mille foyers, n'alimenteraient même pas un quartier aujourd'hui.

Agrandissement de la première usine hydroélectrique, Rivière-du-Loup. Photo : Stanislas Belle – N° 480

CSST ? Connais pas !
1905

Au tournant du siècle, les récents progrès technologiques permettent de franchir des obstacles jusque-là insurmontables. On édifie des ponts plus hauts, plus longs, plus ingénieux... et leur construction nécessite une témérité nouvelle. Cette vue du chantier du pont Dion, à Rivière-du-Loup, provoque un vertige instantané. Et que devaient penser les travailleurs se baladant sans harnais sur les planches encore mal fixées ?

La construction du pont Dion, Rivière-du-Loup. Photo : Jean-Baptiste Dupuis – N° 599

Frais du jour
1921

Un copieux étalage de fruits et de légumes dans une présentation alléchante vise à propager l'idée que la marchandise, provenant des campagnes environnantes, vient d'arriver en ville. Paniers, barils et étals divers se retrouvent, presque identiques, dans la majorité des épiceries québécoises. Plus qu'un simple commerce, le bâtiment abrite la famille du marchand, comme l'indiquent les galeries, la terrasse arrière et le bel étage sis au-dessus du magasin. Les hublots, rappel de la vie fluviale, apportent un éclairage suffisant tout en éloignant les regards indiscrets.

Épicerie François Dionne, Rivière-du-Loup. Photo : Ulric Lavoie – N° 232

La « ronne » de pain

vers 1907

À la fin de l'avant-midi, son pain frais du jour chargé dans la voiture, l'équipe de la boulangerie part faire la tournée de sa clientèle. Le cheval tirant la précieuse cargaison, on rencontre jusqu'au crépuscule chaque client, ménagère ou commerce. La tradition du boulanger perdure dans certaines régions du Québec. Pour plusieurs, rien ne remplace la visite régulière de ce livreur qui devient, au fil des ans, un ami de la famille.

Visite du boulanger, village de L'Islet. Photo : Fonds François Pelletier et Hélène Landry

Ah! les agents d'assurances
1898

La chanson popularisée par La Bolduc, dans les années 1930, indique bien l'état d'esprit dans lequel vit la population lors de l'implantation des compagnies d'assurances. Un personnel souvent mal formé, plus intéressé par la vente et les profits que par le mieux-être des gens, arpente les villages à la recherche de nouveaux clients. Certains agents d'assurances ont pourtant fait fortune. Les incendies, accidents et deuils laissaient dans la gêne, sinon dans la misère, nombre de familles. Il était relativement facile, dans un tel contexte, de rassurer les gens avec cette protection nouvelle.

Bureau d'un vendeur d'assurances. Photo : Stanislas Belle – Nᵒ 2667

Vie d'un commis voyageur

vers 1930

Les progrès réalisés dans le transport routier provoquent l'essor d'une nouvelle profession : commis voyageur. Toujours tiré à quatre épingles, sa marchandise entassée dans un véhicule de l'année, il traverse jour après jour les mêmes villes et villages. Celui-ci, représentant la compagnie Standard Brands Limited, offre levure, café et fromage aux boulangeries, pensionnats et commerces intéressés. Pas de commande électronique ou de courrier recommandé dans ce métier où le contact humain prime sur la rapidité.

Un voyageur de commerce à Rivière-du-Loup. Photo : Fonds famille Breton-Chamberland

Richesses naturelles
1909

Pendant longtemps, le golfe du Saint-Laurent fut l'une des plus prodigieuses réserves de poisson au monde. Profitant de cette richesse naturelle, de nombreuses communautés de pêcheurs se sont installées dans les baies, criques et rades, profitant des protections naturelles du milieu. Le havre de Gaspé, en 1909, fonctionne à pleine capacité. Déjà, au loin, le voilier de plaisance présage la vocation touristique qui caractérise aujourd'hui la péninsule gaspésienne.

Havre de Gaspé. Photo : Paul-Émile Martin – N° 51

Basse-ville

vers 1920

La Citadelle, rappel du passé militaire de la plus ancienne ville au Canada, domine les installations portuaires. L'activité maritime, longtemps dominante dans l'économie de la capitale, cède sa place aux routes, au rail et aux aéroports dès le milieu du siècle. Cette vue de la basse-ville de Québec tranche avec le portrait qui nous est aujourd'hui familier.

Port de Québec. Photo : Paul-Émile Martin – N° 12

Autre temps, autres mœurs
1929

Une cinquantaine de bélugas reposant sur une plage peut représenter un portrait surprenant pour quiconque ignore l'exploitation commerciale de la graisse de marsouin jusqu'au milieu du présent siècle. En ce mois de mai 1929, des équipes s'activent sur les carcasses, tentant de prélever la précieuse matière avant que la prochaine marée ne reprenne les corps. Autre temps, autres mœurs : on s'émerveille aujourd'hui de voir deux ou trois dos blancs en marchant le long des berges du Saint-Laurent.

Pêche aux marsouins, Rivière-Ouelle. Photo : Antonio Pelletier

Prises au piège
1923

On visite les coffres d'une pêche à anguilles à Saint-Denis (Kamouraska) en août 1923. Une barrière de piquets érigée sur le rivage, en zone de marée, piège l'anguille jusqu'à une nasse qu'il faut vider deux fois par jour, à chaque marée basse. L'anguille, qui faisait autrefois partie de la cuisine régionale, était aussi très utile pour sa peau qu'on taillait en babiche pour faire des lacets ou pour tresser des fonds de chaises.

La pêche à l'anguille, Saint-Denis (Kamouraska). Photo : Paul-Émile Martin – N° 27

Au « switchboard »

vers 1930

Les rapides progrès technologiques provoquent l'émergence de nouveaux métiers, souvent occupés par les femmes. L'installation du réseau téléphonique en constitue un bel exemple. On construit de nombreuses centrales comme celle-ci où des standardistes, installées sur de simples tabourets, établissent manuellement les communications entre les différents abonnés. Nous sommes encore bien loin de la téléphonie cellulaire, des boîtes vocales et autres systèmes informatiques où l'être humain a cédé sa place à la machine.

Les téléphonistes de la Cie de téléphone de Kamouraska. Photo : Ulric Lavoie – N° 942

Oui, allô !

vers 1915

Bien sûr, il s'agit ici d'un modèle démesuré, à mi-chemin entre le jouet et l'enseigne publicitaire. Manivelle, double sonnerie, récepteur et écouteur, le téléphone fascine. On assiste, pendant le premier quart du siècle, à l'implantation du téléphone dans les campagnes québécoises. Déjà, les grandes villes profitaient de cette nouvelle technologie depuis la fin du XIXᵉ siècle. Subtilement, l'ère des communications vient de s'amorcer.

Deux enfants devant un téléphone géant. Photo: Jean-Baptiste Dupuis – Nᵒ 298

Je vous en passe un papier

vers 1930

Indissociable d'une ville en expansion, l'imprimerie déploie son inventaire. Mais pas question de se servir soi-même : un tabouret à l'entrée invite le client à s'asseoir confortablement. Avec les changements profonds provoqués par l'industrialisation rapide, la classe professionnelle et le secteur tertiaire se développent de manière phénoménale. Les commerces d'équipement de bureau, comme celui-ci, deviennent indispensables.

Intérieur de l'Imprimerie Deschênes, Rivière-du-Loup. Photo : Ulric Lavoie – N° 936

Potions magiques

vers 1910

Potions, remèdes, sirops... quand on veut guérir, il faut prendre les grands moyens et aller chez le pharmacien. La disposition des lieux, la propreté et l'ordre montrent le sérieux, la confiance et l'intégrité que l'on doit accorder à l'établissement et à ceux qui y travaillent. Les bancs très espacés permettent au personnel, tout de noir vêtu, de servir le client dans la plus grande confidentialité. Les statues omniprésentes indiquent qu'avec l'aide de Dieu, tout ira bientôt mieux.

Intérieur d'une pharmacie, Rivière-du-Loup. Photo : Jean-Baptiste Dupuis – Nº 248

Les transports

En peu de temps, on veut loin. Dans ce « grand et noble » et l'automobile viennent prêter aller plus vite, plus haut, plus projet, l'avion, le transatlantique main-forte au train, au tramway et au bateau à vapeur qui sillonnaient la contrée depuis déjà quelques années. D'un seul coup, on calcule la distance non plus en jours ou en heures, mais en minutes. Le monde des transports devient un levier économique pour une société qui veut tout acheminer, véhiculer, alimenter. À travers tout cela, les moyens de locomotion traditionnels continuent d'exister. Dans les régions, on conservera la carriole, la goélette, la bicyclette et le voilier. Un fossé se crée, toujours plus large, entre le rythme de vie des villes et celui des villages; ici on se masse à la gare, là-bas on traîne sur le quai.

Tchou-tchou
1918

Ici comme ailleurs, un pont de l'Intercolonial traverse la rivière. La parade des locomotives, wagons de marchandises et de passagers rythme, à une cadence effrénée, la vie de la jeune communauté. Juste au-dessous, l'énergie hydraulique actionne les mouvements de la fonderie. Pas de doute possible, l'ère industrielle est bel et bien enclenchée.

Une locomotive traversant la rivière, Rivière-du-Loup. Photo : Paul-Émile Martin – N°56

A mari usque ad mare
vers 1910

Espaces inconnus et sauvages, contrées éloignées accessibles seulement aux téméraires.... ce temps est bel et bien révolu. Le nouveau ruban métallique, qu'on appelle déjà chemin de fer, perce la montagne, tranche la colline, enjambe la rivière et la locomotive, toute vapeur dehors, transporte vaillamment marchandises et passagers. Cette scène, déjà document d'archives pour bien des régions québé-coises, témoigne d'un immense territoire qu'on voulait unir à jamais par le rail « A mari usque ad mare » ... d'un océan à l'autre.

Un train s'engage entre deux montagnes. Photo : Jean-Baptiste Dupuis – N° 408

Quai de glace
vers 1910

La navette de ravitaillement entre les deux rives du fleuve se fait par voie d'eau. Le Mahone effectuera, été comme hiver, de nombreux voyages. Sous le pâle soleil hivernal, on arrime ce caboteur de bois long de 86 pieds sur la glace. Des attelages de traîneaux à chiens sont au garde-à-vous pour transporter la marchandise sur la terre ferme.

Le *Mahone* sur les glaces du fleuve Saint-Laurent. Photo : Stanislas Belle – N° 746

Soufflés par le progrès
1912

Beaux, élégants, ces magnifiques voiliers étaient des géants, les Maîtres des eaux. Avec l'arrivée des bateaux à vapeur indifférents aux vents absents et contraires, ces citadelles des mers, soufflées par le progrès, durent mettre les voiles à jamais. Cette photographie symbolise la transition entre deux époques, deux âges dans l'histoire navale au Québec.

Le *Mahone* et un voilier à l'arrière-plan, Rivière-du-Loup. Photo : Paul-Émile Martin – N° 24

Saint Christophe, patron des voyageurs
1929

L'histoire d'un peuple est ponctuée de traditions, lesquelles sont souvent issues d'autres traditions. Les annales québécoises nous révèlent qu'on s'employa très tôt, dans les cités et villages, à la bénédiction des voitures à cheval. Ce rituel fut adapté naturellement à l'automobile. Astiqués et pimpants, les rutilants objets attendent la fin de la grand-messe, en ce dernier dimanche de juillet, fête de saint Christophe, patron des automobilistes. Ce geste symbolique assurera protection pour les prochaines saisons.

La bénédiction des autos, Rivière-du-Loup. Photo : Antonio Pelletier

On est là pour vous servir
1918

Le forgeron, le sellier, le bourrelier doivent se recycler rapidement : une ère nouvelle vient de commencer, celle de l'automobile. Très bientôt, la compagnie rassurante des attelages de chevaux et des rues silencieuses sera remplacée par des bolides de plus en plus nombreux qui cracheront bruit et monoxyde de carbone. Les premiers garages font l'effet, pour la population, de pavillons de curiosités. On observe, sans trop comprendre, la gymnastique incessante des mécaniciens.

Le garage de la Compagnie d'Autos de Témiscouata, Rivière-du-Loup. Photo : Ulric Lavoie – N° 2979

La huitième merveille du monde
1919

Le 17 octobre 1917, un an après l'effondrement de la travée centrale, un premier train traverse enfin le pont de Québec. Ce pont de type cantilever, qualifié un moment de huitième merveille du monde, retient l'attention des touristes et scientifiques. La structure d'acier reliera les deux rives pour une dernière fois avant que le fleuve aux grandes eaux ne s'élance vers l'océan, des centaines de kilomètres plus loin.

Pont de Québec. Photo : Paul-Émile Martin – N° 59

On prend toujours un train...
vers 1910

Cette petite passerelle en bois en a vu des rassemblements! Tels les quais d'accostage des navires, les gares sont une halte dans la vie quotidienne. On y fait des transactions, on y récolte des potins, on ramasse un colis, on vient accueillir un ami... À l'arrière, l'ensemble des bâtiments et du personnel rattachés au service et au confort des voyageurs orchestrent cette migration.

Une foule rassemblée sur le quai de la gare, Rivière-du-Loup. Photo : Jean-Baptiste Dupuis – N° 421

Gare intermodale
1903

Qu'on arrive par train, par bateau, en auto, en camion, en bicyclette, à cheval ou simplement à pied, le quai constitue le lieu de rassemblement et de transit par excellence. Cette gare intermodale, pour utiliser un vocabulaire à la mode, est le centre d'une intense activité économique. Marchands, visiteurs, pêcheurs et curieux s'y croisent dans un brouhaha continuel, digne des plus grands marchés. Agoraphobes s'abstenir!

Un bateau au quai, Rivière-du-Loup. Photo : Paul-Émile Martin – N° 25

Bienvenue à bord
1908

Voir c'est bien beau, mais toucher, c'est encore mieux. C'est ce que se disent les curieux qui espèrent une invitation du capitaine de cette frégate anglaise, ancrée en face de Québec. Mais, en 1908, les secrets militaires sont bien gardés. Échelle de cordage, passerelle et système de navette permettent de trier, sur le volet, les élus qui pourront enfin poser les pieds sur le noble bâtiment.

Frégate anglaise devant Québec. Photo : Paul-Émile Martin – N° 43

Déploiement de puissance
1908

La marine, tant civile que militaire, est à son apogée. À l'époque du Titanic et des grands transatlantiques, on construit des navires de plus en plus beaux, de plus en plus gros. Le tricentenaire de la ville de Québec, en 1908, offre à l'Angleterre la possibilité de faire une démonstration de sa puissance navale en étalant, dans la rade, une mince partie de sa flotte. Ces bâtiments rutilants seront les principaux acteurs de la Bataille de l'Atlantique, pendant la Deuxième Guerre mondiale.

Bateaux de guerre entre Québec et Lévis. Photo : Jean-Baptiste Dupuis – N° 44

Rythme de croisière
vers 1910

Un magnifique bateau de croisière, actionné par une gigantesque roue à aubes, arrive à quai. Cette scène, qu'on associe souvent aux longues descentes du fleuve Mississippi, se passe bel et bien au Québec. Pour les plus fortunés, les expéditions sur le Saint-Laurent constituent sans doute le summum de la relaxation, l'ultime voyage qu'on espère se payer. Le temps d'une halte rapide, tant pour le ravitaillement du navire que pour le plaisir des voyageurs, et le Murray Bay repartira de plus belle.

Le bateau *Murray Bay* au quai de Saint-Siméon, (Charlevoix) Photo : Jean-Baptiste Dupuis – N° 31

Ruban d'acier
1910

Comme toujours, le contremaître supervise les travaux. Il devra rester vigilant car la construction et l'entretien d'une voie ferrée exigent une main-d'œuvre habituée au travail difficile. Ici, le rail est redressé à force de bras. L'effort se lit sur le visage des ouvriers, arc-boutés sur leurs pics pour le maintenir en position. Par la suite, d'autres enfonceront, à la masse, les longs clous dans les dormants.

On pose les rails, lac Long, Témiscouata. Photo : Fonds François Pelletier et Hélène Landry

Rien n'arrête le progrès ?
1910

La plus grosse bordée de neige de l'hiver vient de laisser plus de trente centimètres de neige. Dans les couloirs pour chemin de fer creusés à même la montagne, on parle de plus d'un mètre d'épaisseur. La machinerie ne suffit hélas plus, il faut s'en remettre à la force musculaire. Après la messe, on recrute une centaine d'hommes pour pelleter ce bouchon. La neige sera chargée à bord de wagons puis déchargée plus loin.

On dégage la voie ferrée, lac Long, Témiscouata. Photo : Fonds François Pelletier et Hélène Landry

Un peu plus haut, un peu plus loin...
1930

Au cours des années 1920 se développe la technologie de l'aéronef grâce à laquelle on transporte des centaines de passagers à la fois au-dessus de l'Atlantique. Le R-100, cet immense ballon dirigeable de 225 mètres de long, fait sensation au-dessus de la vallée du Saint-Laurent à la fin de juillet 1930. On le voit ici à son mât d'amarrage à l'aéroport de Saint-Hubert, à l'époque le plus important du pays.

Le R-100 ancré à son mât d'amarrage à Saint-Hubert. Photo : Ulric Lavoie – Nº 1220

On décolle
1929

La Première Guerre ayant consacré l'importance de l'aviation, il restait à implanter son rôle dans l'activité économique. Lentement mais sûrement, l'avion fait partie de la réalité québécoise. Les régions ne disposant pas encore de pistes d'atterrissage aménagées sont souvent desservies par les hydravions, comme c'est le cas ici. Quelques décennies plus tôt, le train avait réduit l'étalon de mesure des distances en passant des jours aux heures. L'avion permettait désormais de calculer les distances en minutes.

Un hydravion dans l'estuaire de la rivière, à Rivière-du-Loup. Photo : Fonds famille Breton-Chamberland

Gros et détail
1925

Savon, confitures, sacs de grains, de pommes de terre... autant de denrées distribuées par le grossiste L.H. Levasseur. La fierté se lit sur les visages des livreurs, heureux d'avoir laissé le cheval pour un véhicule plus performant. Non seulement peut-on entasser jusqu'à cinq fois plus de marchandises qu'avant, avec cette longue plate-forme en bois, mais le confort et les commodités sont impressionnants : roues de bois entourées de caoutchouc, bâche pour protéger des intempéries, pare-brise.

Le camion du grossiste L.H. Levasseur à Rivière-du-Loup. Photo : Ulric Lavoie – N° 183

Le monde... au bout du fil
vers 1930

Les premiers établissements profitant du service téléphonique sont principalement les hôtels et les grands commerces. Mais l'invention d'Alexander Graham Bell devient de plus en plus accessible au point qu'il faut étendre le réseau aux nouveaux abonnés éparpillés sur le territoire. Les poteaux chargés de fils viendront modifier progressivement le paysage le long des routes de campagne.

Les poseurs de lignes de la Cie de téléphone de Kamouraska. Photo : Antonio Pelletier

En voiture
1899

Les constructeurs d'automobiles, avec les modèles allant de la mini-compacte jusqu'à la berline grand luxe, n'ont rien inventé. Une caté-gorisation similaire, voire encore plus sophistiquée, existait dans la nomenclature des voitures à chevaux. Tout comme aujourd'hui, la qualité de la voiture, le nombre et la grosseur des roues, la quantité de passagers admissibles, la constitution de la toiture et l'attelage tirant la remorque permettaient d'en savoir beaucoup sur l'occupation et les ressources financières du propriétaire.

Deux hommes dans une calèche, Rivière-du-Loup. Photo : Stanislas Belle – N° 3243

Sous la peau de mouton
1911

L'hiver nous quitte à petits pas et la ville reprend graduellement sa vie extérieure. Dès que la neige sera définitivement fondue et que les routes seront asséchées, on pourra ressortir les véhicules roulants. En attendant, il faut continuer à utiliser la carriole qui sait s'accommoder aussi bien de la neige que du sol dégelé. Profitez de cette douce tranquillité, Messieurs Dames, car les lourds véhicules motorisés remplaceront bientôt l'élégance et la légèreté de vos belles voitures.

Famille dans une carriole, Rivière-du-Loup. Photo : Stanislas Belle – Nº 14644

Service d'urgence
vers 1925

Les gyrophares allumés, l'ambulance s'élance sur l'autoroute, tentant de gagner les secondes qui sauveront peut-être le malade. Cette impression d'urgence, de course contre la montre, ne s'applique guère aux services ambulanciers en ce début de siècle. C'est seulement lorsque le médecin de famille était dépassé par l'ampleur de la maladie qu'on allait quérir le fourgon attelé.

Ambulance tirée par un cheval, Rivière-du-Loup. Photo : Ulric Lavoie – N° 193

Service à domicile
1911

Appelé à visiter ses malades à tout moment, le docteur Kane s'est doté très rapidement de la toute dernière invention : l'automobile. Même les routes enneigées ne l'empêcheront pas d'accomplir son devoir, comme le prouvent les chaînes recouvrant les roues, le fanal accroché de chaque côté du véhicule et la couverture récupérée de la vieille carriole. Après la courte pause devant le théâtre Nickel, il lui faudra reprendre la route : la maladie ne prend jamais de congé.

Automobile munie de chaînes aux roues motrices, Rivière-du-Loup. Photo : Stanislas Belle – N° 14468

En roulant à pleine vapeur
1917

La boue et les ornières profondes rendent fréquemment inutilisables ces chemins des petites villes et des villages, d'où l'invention du rouleau à vapeur. Cet engin pour le moins surprenant, à la fois locomotive et automobile, ne passe jamais inaperçu. Pourquoi ne pas sacrifier un peu de tranquillité pour jouir de rues presque pavées?

Le rouleau à vapeur de la Ville de Rivière-du-Loup. Photo : Paul-Émile Martin – N° 61

En route

vers 1920

Les véhicules motorisés, avec leur vitesse et leur endurance supérieures, s'imposent rapidement dans les transports de marchandises et les déplacements sur longue distance. Comme d'autres voitures tirées par la force animale, l'omnibus à cheval a fait son temps. De rutilants autobus, pouvant loger jusqu'à dix passagers, sillonnent déjà les routes et ouvrent la voie au transport public interurbain.

La Compagnie d'autobus, Rivière-du-Loup. Photo : Ulric Lavoie – N° 186

Sur deux roues
vers 1930

Moins exigeante que le cheval, moins dispendieuse que l'automobile, plus rapide que la marche, la bicyclette représentait pour plusieurs le moyen de transport idéal. L'ouvrier savait profiter des avantages de cet outil qui lui permettait de se déplacer entre deux corvées ou, simplement, d'avoir la chance de dîner chez lui. Presque un siècle plus tard, malgré d'innombrables travaux de recherche, la bicyclette demeure essentiellement la même : deux roues, un guidon, une selle, un pédalier et un système d'entraînement.

Un cycliste, Saint-Alexandre (Kamouraska). Photo : Marie-Alice Dumont – N° 760

Québec en tramway
1908

La grande concentration de la population, principalement à Québec et Montréal, entraîne la création du transport en commun urbain. L'autobus tiré par les chevaux ne suffisant plus à la tâche, on passe rapidement au tramway à cheval puis, dès l'apparition du moteur électrique, au trolleybus ou tramway électrique. Les réseaux de filage suspendu et les rails incrustés dans le pavage font alors partie du quotidien des citadins, au même titre que l'autobus ou le métro aujourd'hui.

Un tramway sur la rue Saint-Jean à Québec. Photo : Jean-Baptiste Dupuis – N° 370

L'architecture

L'architecture est offi- cielle ou domestique, religieuse ou civile, utilitaire ou décorative, industrielle ou artisanale. De nouvelles fonctions donnent naissance à de nouvelles architec- tures : palais de justice, grandes usines, hôtels de villégiature, garages d'automobiles. Ces immeubles modernes côtoient désormais des constructions plus traditionnelles : églises, maisons canadiennes, manoirs seigneuriaux. ♞ Les ruines intéressent peu ce peuple jeune : On reconstruit, tout est rasé... Heureusement, les vestiges archéologiques ou ethnographiques nous informent sur l'histoire. Leur pérennité dépend cependant de notre capacité à les conserver intacts. L'intervention humaine, comme la démolition d'une demeure, l'aménagement d'un stationnement, ou simplement une inondation ou un incendie, détruisent quotidiennement quantité de ces témoins.

L'embarras du choix

vers 1910

L'hôtellerie de villégiature s'organise dès le XIXe siècle. Des stations réputées se construisent au lac Saint-Joseph, à Kamouraska, à l'île d'Orléans, au lac Memphrémagog, à Rivière-du-Loup et à Murray Bay, pour n'en nommer que quelques-unes. Ces hôtels somptueux, qui logent parfois plusieurs centaines de convives, instaurent souvent des styles architecturaux novateurs dans le paysage québécois.

Hôtel du lac Saint-Joseph, près de Québec, (Portneuf). Photo : Jean-Baptiste Dupuis – N° 350

Vive les nordiques !

vers 1901

Depuis le milieu du XXe siècle, on assiste à un phénomène nouveau : la course vers la chaleur du sud, vers le soleil. Pendant longtemps, le mouvement inverse prévalait. Chassés des grandes villes américaines par la chaleur suffocante, la pollution et le bruit, les citadins migraient vers le nord, l'été durant, à la recherche d'air pur, de fraîcheur, de tranquillité. Les grands hôtels de la vallée du Saint-Laurent reçoivent cette clientèle dans un pèlerinage annuel où certaines familles logent au même endroit et ce, pendant de nombreuses années.

Hôtel Bellevue, Rivière-du-Loup. Photo : Stanislas Belle – N° 112

Que justice soit faite
vers 1920

Une population en plein essor et l'urbanisation rapide du Québec ont provoqué, à la fin du siècle dernier, une mutation radicale du sys-tème judiciaire. À chaque décennie, la justice devait trancher de plus en plus de causes civiles ou criminelles. Les palais de justice, tels qu'on les connaît aujourd'hui, sont apparus pour répondre à cette demande grandissante. Il fallait toutefois que l'immeuble supportant cette activité soit à l'image de la Justice : solide, fort, impartial et majestueux, d'où le premier étage en pierre de taille, des encoignures visibles et une tour s'élançant vers le ciel.

Le Palais de justice, Rivière-du-Loup. Photo : Ulric Lavoie – N° 153

En lieu sûr

1907

Les piastres durement gagnées ne seront pas déposées n'importe où. Pour remplacer le bon vieux bas de laine, il faut que la banque inspire confiance. C'est le cas de cette succursale de la Banque de Montréal qui propose équilibre (même nombre de fenêtres et de portes de chaque côté), sécurité (on entre par une toute petite porte) et harmonie (faîtage du toit de forme triangulaire). Dormez en paix, le directeur, qui loge au deuxième, veillera sur vos économies le jour et la nuit.

Banque de Montréal lors de son 50e anniversaire. Photo : Jean-Baptiste Dupuis – No 81

Héritage seigneurial

vers 1930

Au Québec, quand le nom d'une ville ne rappelle pas la mémoire d'un saint ou un mot amérindien, on peut parier qu'on y trouvera le patronyme d'un pionnier ou fondateur. Carleton, Laval, Gatineau et Nicolet sont là pour nous rappeler que des gens audacieux ont pris des risques bien avant nous. Ainsi, l'ancienne appellation de Rivière-du-Loup, Fraserville, rappelait le rôle joué par la famille Fraser dans l'histoire de cette localité. Longtemps seigneurs de l'endroit, les Fraser ont laissé d'impressionnants témoignages de leur passage, dont le fameux manoir, construit en 1833 sur la rue... Fraser.

Manoir Fraser, Rivière-du-Loup. Photo : Ulric Lavoie – N° 1258

Libre-échange
vers 1920

Certaines régions du Québec ont profité, dès le début du siècle, du déplacement des décideurs politiques vers les régions. Montebello, Pointe-au-Pic et Rivière-du-Loup, pour ne nommer que ceux-là, ont vibré pendant longtemps au rythme des réunions estivales où se jouait l'avenir du Québec ou du Canada. Le consulat américain s'installe à Rivière-du-Loup en 1915 pour des raisons tant politiques qu'économiques. Vastes galeries, rotonde accueillant les dignitaires, large escalier, on y sent tout le faste de l'architecture des États du Sud.

Le consulat américain, Rivière-du-Loup. Photo : Ulric Lavoie – N° 163

Un bon « spot »

vers 1910

Un riche promoteur hôtelier a déjà dit qu'un seul critère conditionne la réussite en affaires : la situation. C'est probablement ce sage principe qu'a appliqué le propriétaire de la Boucherie Pelletier. Une bonne place, un coin de rue à l'angle de deux artères fréquentées, garantit qu'on sera remarqué. Mais ce n'est pas suffisant. Un fronton d'arabesques festonnées et trois grandes enseignes, dont une illustrant des bœufs bien portants, arrêtent le regard : c'est bien ici le boucher.

La Boucherie T. Pelletier, à Rivière-du-Loup. Photo : Jean-Baptiste Dupuis – N° 12

Le barbier de... ces villes

vers 1910

Avant l'ère du potin électronique, il fallait bien que bonnes nouvelles et médisances circulent. Rien de mieux alors qu'une halte chez le barbier, question de rafraîchir sa coiffure, supprimer les poils indisciplinés et, surtout, apprendre les derniers développements du quartier. Souvent logé au rez-de-chaussée de la résidence familiale, le salon du barbier s'intégrait dans la trame architecturale du village, comme le magasin général, le bureau de poste et la boutique du forgeron.

Vue d'une rue de Matane. Photo : Jean-Baptiste Dupuis – N° 89

Dans le brouillard de la côte
1925

La remontée du fleuve Saint-Laurent, de Sept-îles jusqu'à Montréal, constitue depuis toujours un défi. Les multiples îles, les subites variations du relief marin, les bancs de sable et récifs ont provoqué le développement d'un savoir-faire chez nos navigateurs. Pour les guider dans la nuit et le brouillard, nombre de phares furent construits au XIXᵉ siècle. Installées à des points stratégiques, un puissant fanal et une corne de brume fixés à leur sommet, ces balises fiables font depuis toujours partie de notre paysage.

Phare de Matane. Photo : Paul-Émile Martin – N° 34

SANDY-BAY, QUE.

Phare de l'âme
vers 1910

Belles dans leur simplicité, ces petites églises de bois ponctuent les rives du Saint-Laurent. Déposées sur les berges du fleuve, elles sont un deuxième phare, celui consacré à l'âme, pour les villageois et les marins. Plutôt grande maison que petit temple, ces lieux de culte constituent souvent l'unique lieu public et de rassemblement pour une population de pêcheurs et de cultivateurs. Un rappel d'un temps pas si lointain où l'on comptait non pas le nombre de villages mais de clochers.

L'église de Baie-des-Sables. Photo : Jean-Baptiste Dupuis – N° 5

Lumière divine

vers 1905

Certains lieux, plus que d'autres, incitent à la prière, au recueillement. Les petites chapelles de collège font partie de ces endroits qui, sans luxe ni faste, laissent planer la lumière divine. En fait, tout est conçu pour ramener l'œil et l'âme du fidèle vers le maître-autel : la symétrie des ornements sculptés, l'effet de perspective créé par les jubés latéraux et même les fenêtres en œil-de-bœuf fournissant cet éclairage tamisé nécessaire aux longues heures de prière. Les bancs de bois, sans agenouilloir, maintiennent éveillés les collégiens tentés de s'assoupir pendant les vêpres.

Intérieur de la chapelle du Collège Sainte-Anne-de-la-Pocatière. Photo : Jean-Baptiste Dupuis – Nº 345

Sainte-Anne, protectrice des marins
vers 1910

Bien avant le grand incendie de 1922, l'église de Sainte-Anne-de-Beaupré impressionnait. Grande et majestueuse, elle contenait de magnifiques œuvres d'orfèvrerie de Ranvoyzé et d'Amyot et des sculptures réalisées par Levasseur et F. Baillairgé. Ces éléments, sauvés du sinistre, inspirèrent sa reconstruction lorsque l'on voulut offrir à sainte Anne, la patronne des marins, un temple monumental dont le faste et la beauté n'avaient pas leurs pareils en Amérique du Nord.

Vue de l'église, Sainte-Anne-de-Beaupré. Photo : Jean-Baptiste Dupuis – Nº 141

En bonne compagnie

vers 1910

On apprend souvent beaucoup plus sur les gens, sur leur manière de vivre, en s'intéressant de près aux intérieurs des résidences qu'en ne s'attardant que sur la coquille extérieure. Ainsi, de nombreux indices sur cette photographie nous indiquent qu'il s'agit d'un milieu relativement aisé : le papier peint, le grand miroir, les fauteuils, les reproductions murales et la multitude de petits tirages photographiques. En bonne compagnie, ces deux femmes ont préféré poser dans leur environnement plutôt qu'en studio, une pratique peu courante à cette époque.

Deux femmes au boudoir. Photo : Jean-Baptiste Dupuis – N° 446

Joyeux Noël!
1899

Chez le juge Cimon, on souligne Noël sous le signe de la famille. La justice prendra bien congé pour quelques heures, le temps d'honorer la bonne table, de déguster un verre de bon vin et de célébrer la naissance du Christ. L'élite québécoise avait appris à composer avec une situation où religion catholique, langue française et royauté cohabitaient. Voilà qui explique les nombreuses références à la Couronne britannique, tant dans l'arbre que sur les murs.

Noël chez le juge Cimon, Fraserville. Photo : Stanislas Belle – N° 3898

Position stratégique
1902

Les Français et les Amérindiens avait compris la position stratégique de Tadoussac, au confluent de deux grands fleuves. Dès la fin du XVIᵉ siècle, ce site constitua une plaque tournante de la traite des fourrures. Ce qui est bon pour les uns l'est souvent pour les autres. Pariant sur les qualités extraordinaires de l'endroit, les promoteurs du tourisme de villégiature installent le grand Hôtel Tadoussac sur un promontoire naturel, à quelques encablures de la plage.

Vue de Tadoussac. Photo : Paul-Émile Martin – Nº 26

De la campagne à la ville
vers 1903

Le Québec, naguère rural, prend peu à peu l'apparence d'une société urbaine de sorte que, maintenant, les quartiers succèdent aux quartiers, les rues aux rues, les maisons aux maisons. Entre 1850 et 1900, la population de la province double presque, alors que l'industrialisation gagne toutes les régions. Déjà s'amorce le mouvement irréversible où les villes seront de plus en plus grosses et les problèmes à solutionner toujours plus importants.

Vue du quartier Saint-Patrice, Rivière-du-Loup. Photo : Stanislas Belle – N° 244

Faubourg

vers 1906

C'est certainement la proximité du fleuve et l'existence du quai qui ont motivé l'aménagement de cette manufacture de meubles, à l'estuaire de la rivière du Loup. Comme partout au Québec, c'est autour d'un noyau industriel qu'a été créé le plus ancien faubourg de la ville, avec les maisons d'ouvriers puis, plus tard, des services organisés. Les considérations entourant le transport ne sont pas caduques. Encore aujourd'hui, on construit une usine là où l'on peut exporter la marchandise le plus facilement et le plus économiquement possible.

L'usine Pelletier dans le faubourg Saint-Patrice, Rivière-du-Loup. Photo : Stanislas Belle – N° 519

Vestiges

vers 1905

Déjà, le pont qui enjambait la rivière s'est effondré et aucune installation hydraulique ne témoigne plus de son passé. Le premier moulin à farine, sur l'autre rive, est voué au pic des démolisseurs. Ce scénario, reproduit des milliers de fois, contribue à détruire la mémoire d'un peuple. Les Européens, qui vivent parfois dans des maisons vieilles de plus 500 ans, l'ont compris depuis longtemps.

Ruines du vieux moulin à farine seigneurial construit en 1818, Rivière-du-Loup. Photo : Jean-Baptiste Dupuis – N° 159

Maison canadienne

vers 1910

Cette silhouette reconnaissable – le toit galbé et percé de plusieurs lucarnes éclairant les chambres à coucher, la grande galerie surélevée, les deux étages bien dégagés du sol – dénote l'adaptation architecturale de nos maisons face à un dur climat. Appelée « Maison canadienne », cette construction abritait souvent le commerce et la résidence familiale du marchand, comme le montre bien l'entrée secondaire située sur le côté du bâtiment.

Maison à cinq lucarnes, Notre-Dame-du-Portage. Photo : Jean-Baptiste Dupuis – N° 75

MANOIR Miville-Dechene   Village des Aulnaies.

Sur les traces de Baillairgé
vers 1910

La région de Saint-Roch-des-Aulnaies, qui abrita l'une des premières seigneuries du Bas-Saint-Laurent, regorge d'édifices centenaires. Parmi les plus connus, le manoir Miville-Dechêne, dessiné par Charles Baillairgé, séduit dès le premier contact. L'inspiration anglo-normande de l'architecture, mais aussi l'interminable véranda qui épouse chacune des formes du bâtiment, confèrent un charme certain. Comme plusieurs sites comparables, il s'intégrait dans un ensemble architectural plus large regroupant un moulin banal, une écurie, une laiterie et de nombreux autres bâtiments annexes.

Manoir Miville-Dechêne, Village-des-Aulnaies. Photo : Jean-Baptiste Dupuis – Nº 449

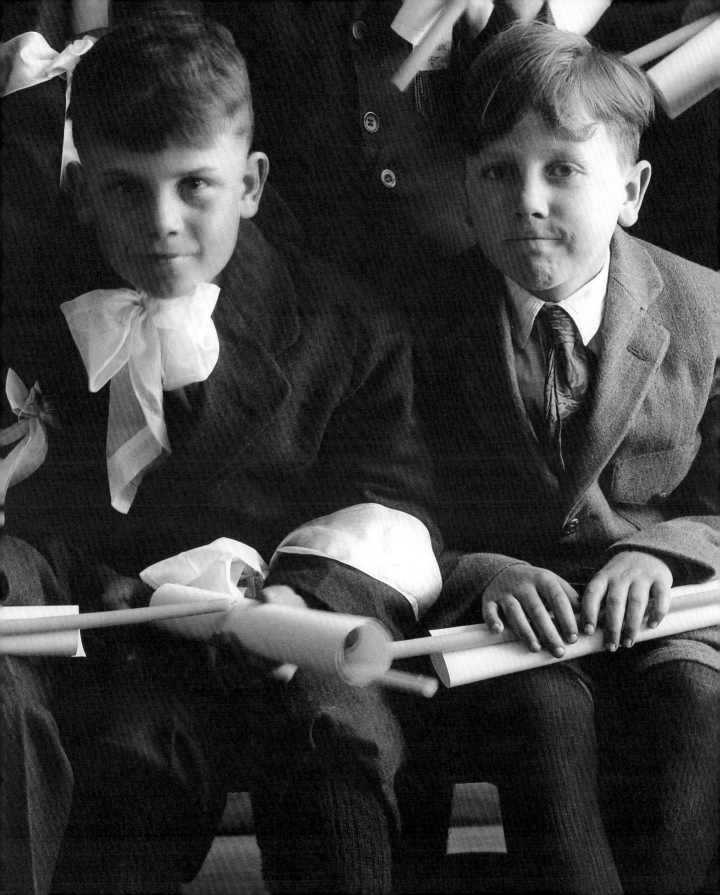

Les événements et la vie publique

*P*as de CNN, RDI ou TVA pour témoigner. Les photographes, vrent les événements et occupent, rapporter les nouvelles, pour en amateurs ou professionnels, cousans le savoir, la fonction de photographe de presse, de témoin privilégié. 🦗 Il y a d'une part l'actualité que l'on récolte chez le barbier, au quai, à la porte de l'église, et que l'on colporte de foyer en foyer. Cette vie publique est si subtile que, parfois, on a du mal à s'en rappeler, tellement furent rares ceux qui ont pensé la photographier. 📷 Il y a d'autre part l'événement extraordinaire, celui qui habite nos livres d'histoire. Déraillement, incendie, campagne électorale, héros de guerre, fête populaire ou religieuse : ces scènes font qu'aujourd'hui on peut imaginer comment c'était, comment ça s'est passé.

Coup fumant
1926

On voit ici un portrait très éloquent de ruines fumantes au carré Dubé, à Rivière-du-Loup, après le grand incendie de 1926. Seuls quelques murs et cheminées restent dressés après le sinistre. La charpente de bois des maisons, leur recouvrement en bardeaux de cèdre, le faible espace entre les édifices, les systèmes de chauffage peu sécuritaires et les réseaux d'aqueduc trop peu développés prédisposaient les agglomérations à ces désastres.

Incendie au carré Dubé, Rivière-du-Loup. Photo : Ulric Lavoie – N° 495

Au feu!
1926

En janvier 1926, un incendie important ravage l'un des plus prestigieux édifice de la capitale. Heureusement, les sapeurs réussiront à limiter les dégâts à une section du bâtiment. Cette photographie montre bien les ressources limitées dont disposaient les pompiers. À la même période, plusieurs bâtiments célèbres du patrimoine québécois disparaissent en fumée faute de protection efficace contre les incendies.

Incendie du Château Frontenac. Photo : Paul-Émile Martin – N° 4

Fête-Dieu
1919

Parti de l'église, le cortège se recueille un instant au reposoir richement orné pour recevoir dignement le Saint-Sacrement. Tout en haut, de sages fillettes, honorées de prendre part à un tel événement, personnifient les anges descendus du ciel. Le dimanche de la Fête-Dieu représente un temps fort de l'année liturgique. Tel un roi, le prêtre portant l'ostensoir s'avance, recouvert d'un dais que tiennent solennellement quatre marguilliers.

Reposoir de la Fête-Dieu, Rivière-du-Loup. Photo : Ulric Lavoie – N° 04472

Du monde à la messe...
1917

Les paroissiens reçoivent leur évêque : l'église est décorée de banderoles, de fleurs, du drapeau papal et du fleurdelisé à l'enseigne du Sacré-Cœur. Tout le monde est au rendez-vous, l'église étant remplie jusqu'aux jubés. C'est le grand jour de la confirmation. Toutes de blanc vêtues, les filles s'avancent vers le prélat, une couronne de fleurs dans les cheveux. Les garçons, brassard au bras, prennent part au même cérémonial sous les yeux émus de leurs parents entassés dans la nef de l'église paroissiale.

Jour de confirmation à Saint-Alexandre (Kamouraska). Photo : Ulric Lavoie – Nº 2342

Passage vers la vie adulte
1928

Ces jeunes garçons arborent un brassard au bras gauche et, sur leur plus bel habit, une boucle de ruban blanc ornée d'un calice et de franges dorés. Le cierge et leur diplôme qu'ils tiennent fermement attestent qu'ils ont suivi avec succès l'enseignement du Petit Catéchisme dispensé par monsieur le curé. Plusieurs enfants abandonnent l'école après leur communion solennelle. La page de l'enfance est tournée et l'on s'engage dans le grand passage vers la vie adulte.

Groupe de jeunes garçons à leur communion solennelle, Saint-Alexandre (Kamouraska). Photo : Marie-Alice Dumont – N° 176

Procession sous un soleil de plomb
1917

Pas toujours facile la vie d'enfant de chœur. Se lever à l'aube pour servir la messe du matin, assister aux longues processions les dimanches après-midi d'été, autant de sacrifices récompensés par l'honneur de servir la grand-messe dominicale... Vêtus de leurs habits liturgiques, ces jeunes garçons n'ont qu'une idée en tête : ne pas gaffer et, plus tard, aller jouer.

Procession dans les rues de Saint-Alexandre (Kamouraska). Photo : Ulric Lavoie – N° 2342

Noces d'argent
1914

Un vingt-cinquième anniversaire, ça se fête ! Ne parle-t-on pas de noces d'argent pour désigner une telle période dans la vie d'un couple ?
Dans la vie d'une institution, il est aussi d'usage de souligner chaque quart de siècle. Mais quand cet établissement s'appelle l'Hôpital
Saint-Joseph-du-Précieux-Sang, qu'il est le plus ancien hôpital de tout l'Est du Québec, et que les Religieuses de la Providence con-
tinuent de soigner avec zèle et charité les malades et les indigents, il convient de fêter avec éclat un tel événement. La foule ici assiste
à la messe — les messieurs portent tous leur chapeau à la main — devant un autel joliment décoré, aménagé à l'extérieur de l'hôpital.

Vingt-cinquième anniversaire de l'Hôpital Saint-Joseph, Rivière-du-Loup. Photo : Jean-Baptiste Dupuis – N° 245

Congrès eucharistique
1927

Précédé des enfants de chœur portant la croix, l'évêque s'engage dans l'allée. Les fidèles, venus prier le Christ-Roi en cette belle journée de juillet, se recueillent pieusement au passage de leur pasteur. Dans son plus beau décor, l'église Saint-Patrice accueille les paroissiens de tout le diocèse dans une grande fête de prière : le Congrès eucharistique. Les décorations, qui nous sembleraient démesurées aujourd'hui, se voulaient à la hauteur de la foi des hôtes de l'événements. Rien ne pouvait être trop beau pour la maison du Seigneur !

Congrès eucharistique à l'église Saint-Patrice, Rivière-du-Loup. Photo : Ulric Lavoie – N° 712

Fais ce que dois

vers 1908

Petit-fils de Louis-Joseph Papineau et fils du peintre Napoléon Bourassa, Henri Bourassa était destiné à une carrière illustre. Ardent défenseur de la langue française et de la religion catholique, il fut, comme on l'a souvent affirmé, la « conscience du Québec ». On le voit ici à Montmagny lors de la campagne électorale de 1908, alors à la tête d'un groupe nationaliste qui fit élire seulement trois députés. Peu après cet épisode politique, Bourassa fonda Le Devoir, en 1910.

Henri Bourassa à Montmagny. Photo : Jean-Baptiste Dupuis – Nº 161

Sir Wilfrid

vers 1910

La vie politique a toujours fait vibrer le cœur des Québécois. À une époque où les médias étaient beaucoup plus rares, l'assemblée publique était souvent le seul moyen de se faire une opinion des candidats en lice. Le passage d'un chef de parti provoque à tout coup un rassemblement important. Wilfrid Laurier, qu'on reconnaît assis derrière la bannière du bas, écoute attentivement le discours d'un partisan. Cette campagne électorale, axée sur le libre-échange avec les États-Unis, sera le testament politique de Sir Wilfrid.

Assemblée libérale avec Sir Wilfrid Laurier. Photo : Jean-Baptiste Dupuis – N° 52

REPRESENTANT • LES • PÈRES
DE LA
CONFÉDÉRATION•
GRACIEUSEMENT OFFERT PAR LES
OFFICIERS & EMPLOYÉS DE CHEMINS·DU·FER
CANADIEN NATIONAL ET TÉMISCOUATA··

Les Pères de la Confédération

vers 1930

Le défilé de la Saint-Jean-Baptiste est souvent l'occasion d'exhiber les éléments de notre tradition dont on est le plus fier. Les Pères de la Confédération, fièrement installés, se joignent évidemment à la fête. Tous mettaient beaucoup de cœur à préparer leur char allégorique et la compétition était vive pour réaliser le plus beau... après celui de Jean-Baptiste, bien sûr.

Char allégorique pour le défilé de la Saint-Jean-Baptiste. Photo : Ulric Lavoie – N° 966

La vedette du jour
1914

Partout au Québec, le plus bel enfant de la place obtient le premier rôle lors du défilé de la Saint-Jean-Baptiste. On le reconnaît habituellement à ses cheveux bouclés, à son long bâton et au mouton qui l'accompagne. Avant d'être la fête nationaliste que l'on connaît aujourd'hui, la Saint-Jean-Baptiste représentait le moment choisi par les Canadiens français pour rendre un vivant hommage à leur patron.

Saint Jean-Baptiste et son agneau, Rivière-du-Loup. Photo : Ulric Lavoie – N° 961

Un événement renversant
1918

Au matin du 7 septembre 1918, de nombreux cheminots, mais aussi quelques curieux, circulent sur le site du déraillement de l'Océan Limitée, un transcontinental réputé. Lors de tels accidents, le réseau ferroviaire pouvait demeurer paralysé pendant plusieurs jours, le temps que la voie soit dégagée et la ligne de chemin de fer reconstruite. À une époque où l'activité économique du pays dépendait grandement du rail, on imagine quelles proportions pouvait prendre un tel événement.

Déraillement ferroviaire à Saint-Alexandre (Kamouraska). Photo : Paul-Émile Martin – N° 18

Meeting d'aviation à Montréal, Canada.

"Le Scarabée" (Type Blériot)

Monoplan du Comte de Lesseps

Le rêve d'Icare
1910

Qui n'a pas voulu un jour, comme Icare, imiter les oiseaux? Ce vieux rêve, qui devint réalité grâce au génie des frères Wright, relança la fascination pour l'aviation. En 1910, la folie du vol s'empare de Montréal pour un grand « meeting d'aviation ». Des milliers de curieux assistent aux exploits de ces intrépides pilotes défiant la loi de la gravité. Un invité de marque, le comte de Lesseps, attire l'attention à bord du Scarabée, le deuxième avion à survoler l'Atlantique.

Meeting d'aviation à Montréal. Photo : Jean-Baptiste Dupuis – N° 336

Héros de guerre
1915

La Première Guerre mondiale sème le deuil dans chaque ville et village. Trop souvent voit-on de ces cortèges funèbres, constitués de soldats portant un cercueil drapé de l'emblème britannique. En ce jour de 1915, les funérailles du soldat Therrien rappellent que le Canada, lui aussi, est en guerre et que le tribut payé sera longtemps gravé dans notre mémoire.

Funérailles du soldat Therrien, Rivière-du-Loup. Photo : Paul-Émile Martin – N° 21

Assemblée contradictoire
1916

La foule est rassemblée près de l'église pour assister à une assemblée contradictoire dans le comté de Kamouraska. Ici, le candidat Léo Bérubé pointe un doigt accusateur en direction de son adversaire politique, le docteur Parrot. Nos campagnes électorales sembleraient bien fades à ces deux aspirants qui réglaient leurs différends sur place, devant une foule partisane qui ne demandait pas mieux que de s'impliquer activement dans les débats.

Campagne électorale dans le comté de Kamouraska. Photo : Paul-Émile Martin – N° 13

Salut aux Livernois
1908

Soulignant le tricentenaire de Québec, la rue Saint-Jean s'active comme jamais. Les soldats du Dominion marchent au pas devant la foule rassemblée aux fenêtres et sur le pavé. Certains d'entre nous se souviennent encore de la plus fameuse artère de Québec alors qu'auvents, pavage briquelé, tramways et commerces célèbres animaient la capitale. Le photographe Jean-Baptiste Dupuis profite d'un passage à Québec, à l'été 1908, pour croquer sur le vif un bout de parade et faire un salut amical aux photographes Livernois.

Parade de cavaliers, sur la rue Saint-Jean à Québec. Photo : Jean-Baptiste Dupuis – Nº 186

Sous l'ombrelle
1908

Lors du tricentenaire de Québec, en 1908, toute la capitale vibre au rythme de la fête. Dans chaque quartier, des cérémonies sont organisées pour souligner ce haut fait prouvant que Lord Durham s'était trompé. Sous l'ombrelle, dames et demoiselles participent aux festivités. Mais attention, gare au soleil et à la peau cuivrée! Comme le veut la tradition romantique, une peau claire et blanche prouvera qu'on provient de la haute société.

Estrade en plein air, Québec. Photo : Jean-Baptiste Dupuis – N° 348

L'œil du photographe

*C*onservée par les sociétés briques et entreprises et, parfois dans le grenier, la photographie d'histoire et musées, par les familles même, dans la boîte que l'on garde n'est pas que document d'archives ou témoin de l'histoire. Elle est aussi, on a tendance à l'oublier, œuvre d'art, expression esthétique, manière de s'exprimer. Tel un artiste, le photographe fabrique son tableau, choisit sa lumière : son œuvre traverse les années. Devant la nature, face à la mer, en présence des eaux pures des lacs et des rivières, il s'émerveille. Même en studio, il modèle, met en scène, dirige et continue de créer. Toutes ces images qu'on contemple et qui nous font rêver, l'œil du photographe les a fixées.

Rosalie s'initie à la broderie
1927

Un éclairage bien dosé, digne du peintre Rembrandt, fait que l'atmosphère de douceur et de calme qui se dégage de ce portrait est presque palpable. On n'y sent pas l'effet de « mise en scène ». La complicité évidente entre le modèle et l'artiste (mère, fille adoptive) rend ce portrait touchant de vérité.

Une jeune brodeuse, Saint-Alexandre (Kamouraska). Photo : Marie-Alice Dumont – N° 151

L'épouse parfaite
1898

Bien dirigées par le photographe, ces quatre demoiselles tentent de décrire, dans une seule scène, l'épouse parfaite. Rêveuse, habile, cultivée, distinguée, jolie, à la fois capable de broder et de peindre, d'élever des enfants et de compter... voici la jeune femme tant recherchée, la perle rare aux multiples qualités.

Demoiselles au studio de photographie, Rivière-du-Loup. Photo : Stanislas Belle – N° 2869

Les temps changent
vers 1925

Les enfants ont toujours aimé et aiment encore se costumer. Sur la photo de gauche, on fait référence à « l'ancien temps », c'est-à-dire la fin des années 1800. Côte à côte, les enfants posent comme le faisaient leurs parents, ou même leurs grands-parents, ajoutant ainsi à l'effet créé par les costumes d'époque. Sur celle de droite, on tente d'illustrer la modernité, les années 1920. Cheveux courts pour la fillette, costume décontracté pour le garçonnet, on adopte une attitude avant-gardiste : la communication. Pas de doute, les temps changent.

Les enfants au studio, Saint-Alexandre (Kamouraska). Photos : Marie-Alice Dumont – Nᵒˢ 571 et 396

Modèle de choix
1907

Pour tout photographe, qu'il soit professionnel ou amateur, les enfants représentent des modèles de choix. Le regard inquiet, Marie-Anna, le premier enfant du couple, pose pour son père photographe. On a construit une mise en scène complexe afin de mettre en valeur autant les richesses matérielles familiales (mobilier, téléphone, éléments de décor, bibelots) que l'enfant lui-même. Le coussin, perdu dans le décor, permet de soutenir le dos du jeune bébé tout au long de la prise de vue.

Le bébé photographié près du téléphone, Rivière-du-Loup. Photo : Jean-Baptiste Dupuis – N° 48

Dégel
1925

Les champs, inondés par la crue printanière pendant quelques semaines, s'assécheront graduellement lorsque le cours d'eau reprendra son lit. Cette scène est courante au Québec à un moment où on ne pratique aucun contrôle du débit des affluents. De nombreuses municipalités assistent, impuissantes, à ce rituel par lequel la nature reprend ses droits. Au premier plan, un cultivateur et son fils exécutent une routine différente : le ramassage périodique des cailloux qui ont fait surface sous l'action successive du gel et du dégel.

Paysage printanier, Saint-Alexandre (Kamouraska). Photo : Marie-Alice Dumont

La vraie richesse
1925

L'automne venu, la vraie richesse des paysans québécois se résume souvent au contenu de leur jardin-potager. Peu de professions permettent en effet de générer suffisamment de revenus pour compenser l'absence de production maraîchère. Ces gens ont probablement
traversé, mieux que d'innombrables citadins, la Grande Crise qui les guettait à la fin de la décennie. Cette photographie d'une touchante
simplicité nous permet de saisir la grandeur et la beauté de la vie rurale.

Le jardin-potager des Dumont, Saint-Alexandre (Kamouraska). Photo : Marie-Alice Dumont – Nᵒ 1254

L'autre... côté de la rivière
vers 1910

L'édifice du Parlement, à Ottawa, avec à ses pieds la rivière des Outaouais, évoque avec éloquence la puissance de l'institution fédérale. Le long de la berge, quelques bateaux et installations portuaires, aujourd'hui disparues, symbolisent l'activité économique de la capitale. Le Québec au début du siècle prend différents visages. Il s'agit parfois, comme c'est le cas ici, des images que nous photographions à partir des berges québécoises.

Le Parlement d'Ottawa et la rivière des Outaouais. Photo : Jean-Baptiste Dupuis – N° 297

La vigie
vers 1919

Tel une vigie chargée de protéger la ville, le Château Frontenac veille sur Québec. Photographié sous toutes les coutures, il constitue depuis sa construction à la fin du siècle dernier, le plus grand ambassadeur de la capitale québécoise partout dans le monde. Déjà, au milieu des années 1920, tout invité de marque était fier de loger dans ce fleuron de la chaîne Canadien Pacifique.

Le Château Frontenac sous la neige, Québec. Photo : Paul-Émile Martin – N° 5

De l'eau sous les ponts...
vers 1910

Un parfum romantique se dégage de cette scène et la rend presque irréelle. Le petit pont de bois, les jeunes filles au regard tourné vers le bas, vaguement mélancolique, tous ces détails nous rappellent que cette mise en scène vise une constante recherche de l'esthétisme. Seul le chien n'a pas vraiment compris les directives du photographe!

Jeunes filles près d'un ruisseau. Photo : Jean-Baptiste Dupuis – N° 602

Confidence pour confidence...

vers 1910

L'heure est grave. Le silence règne tout autour. Pas une vague ne vient rider la surface du lac et aucun vent n'ose faire bouger les feuilles. La nature entière semble suspendue aux lèvres de l'homme. Quel terrible aveu, quelle triste nouvelle ou quelle déclaration d'amour est-il venu faire à la femme qui l'écoute ainsi, le regard fixé au sol ?

Près du lac. Photo : Jean-Baptiste Dupuis – N° 86

Énigmatique
vers 1910

Elle attend patiemment, vêtue d'une robe longue et un peu austère, d'une veste et d'un chapeau. Son regard se perd au loin. Ses cheveux tressés lui donnent un air sévère, plus vieux que son âge réel. Nos séries télévisées s'intéressant au début du siècle, produites à partir de 1980, s'inspirent de ce stéréotype de la femme québécoise. Mais derrière cette façade énigmatique se cachent toutes celles qui ont construit le Québec d'aujourd'hui.

Femme sur un balcon. Photo : Jean-Baptiste Dupuis – N° 583

Hommage à la beauté!

vers 1910

Une lumière naturelle, doucement filtrée et judicieusement dirigée, contribue à modeler délicatement les lignes du visage de cette femme. On sent dans ce portrait, outre la technique savamment maîtrisée par le photographe, toute la beauté que le modèle inspirait à l'artiste et qu'il nous inspire encore aujourd'hui grâce à la magie de la photographie.

Portrait de jeune femme. Photo : Jean-Baptiste Dupuis – N° 396

"LES BOULES" PETIT METIS, QUE.

À marée basse

vers 1910

La marée est au montant. On semble préparer la barque pour une sortie « au large ». Comme le montre le tracé sur la plage, près de la moitié de la distance est déjà franchie. C'est la Gaspésie de nos souvenirs, la Gaspésie de nos rêves... Là-bas, le petit hameau se dessine avec de nombreuses embarcations prêtes à prendre la mer.

Sur la grève, aux Boules, Matane. Photo : Jean-Baptiste Dupuis – N° 95

Instant volé

vers 1910

Les photographes de l'époque, tout comme les artistes d'aujourd'hui, connaissaient bien le potentiel esthétique de leur environnement. À force d'observation, Stanislas Belle avait même localisé l'endroit qui lui permettrait de saisir le coucher de soleil idéal : la promenade de bois, le quai et puis, tout au bout, le soleil qui étreint, l'espace de quelques secondes, le phare. Cette scène, d'une pureté totale, démontre une sensibilité très actuelle.

Fin de journée sur le fleuve Saint-Laurent, Rivière-du-Loup. Photo : Stanislas Belle – N° 63

Le miroir

vers 1910

La nature fait partie de l'univers photographique de Jean-Baptiste Dupuis. Parfois sauvage, souvent domestiquée, elle sert de cadre, de décor pour un petit groupe de personnes, généralement endimanchés, qui fournissent une dimension à l'image. Et cette nature est souvent aquatique. Lacs et rivières fascinent cet artiste : leur surface réfléchit la lumière, tel un miroir, créant une atmosphère magique.

Paysage près du moulin. Photo : Jean-Baptiste Dupuis – N° 279

Le petit pont de bois!

vers 1910

Loin des corvées, des soucis du quotidien, ces trois fillettes ont trouvé leur havre, cet espace juste à elles où leur monde d'enfant reprend toute sa valeur, tout son sens. La végétation luxuriante, le ponton avec, en dessous, le petit barrage, complètent ce portrait idyllique d'un pays où l'homme et la nature ont su se développer harmonieusement.

Trois jeunes filles le long d'un cours d'eau. Photo : Jean-Baptiste Dupuis – N° 263

Comme au temps des cabriolets
1914

Comment ne pas rêver devant une telle image ? Une rue presque déserte, en une journée ensoleillée, alors que les arbres, de chaque côté de la rue, se touchent du bout des feuilles. Rangée près du trottoir, une magnifique Ford s'attarde avec ses quatre passagers. Un brin de conversation au sujet de l'état de santé de monsieur et les joyeux lurons repartiront à la recherche de nouvelles rencontres, comme au temps des cabriolets.

Sur la rue Fraser, à Rivière-du-Loup. Photo : Ulric Lavoie – N° 280

Habillée de verdure
vers 1910

L'architecture constitue un thème très présent depuis l'invention de la photographie. Même pour ces sujets plus statiques, le photographe compose son image et crée, avec la lumière et l'environnement, une véritable œuvre d'art. La construction de cette résidence cossue, habillée de verdure et lambrissée de briques d'Écosse, n'est pas encore terminée. Les cages de bois séchant au soleil, près de la maison, laissent entendre que le va-et-vient des ouvriers viendra bientôt troubler le calme du lieu.

Maison O'Leary, Saint-Pascal (Kamouraska). Photo : Jean-Baptiste Dupuis – N° 102

À l'état sauvage!

vers 1910

La chute Montmorency dans toute sa splendeur avant l'aménagement touristique récent, où l'on a vu surgir une longue promenade,
un stationnement ainsi qu'un parc aménagé pour les visiteurs. Cette magnifique photographie nous fait rêver d'un Québec au naturel
avant les effets de la civilisation.

La chute Montmorency, Québec. Photo : Jean-Baptiste Dupuis – N° 99

Entre la montagne et la mer
vers 1910

Dans ce village typique de la côte charlevoisienne qui a servi de muse à tant de peintres, on vit sur une légère bande de terre, entre la montagne et la mer. Pour la promenade du dimanche, nulle part où aller sinon sur le mince sentier épousant les courbes du littoral.

Paysage de Charlevoix. Photo : Jean-Baptiste Dupuis – N° 27

Figé... dans le temps

vers 1910

Début de printemps typique au quai des Price à l'anse à l'Eau, près de Tadoussac. Tout près de nous, le long de la berge, la glace se disloque péniblement et libère la terre de son étreinte. Plus loin, le quai s'anime, signe de la reprise progressive des activités humaines après un hiver rigoureux. La montagne enneigée sert d'écrin à l'embouchure de ce fleuve qui, déjà, porte les germes du Parc marin du Saguenay.

Le quai des Price à l'anse à l'Eau à Tadoussac. Photo : Jean-Baptiste Dupuis – N° 38

Les voitures d'eau
vers 1930

Il existe au Québec une très longue tradition de constructeurs de bateaux, et particulièrement de goélettes. De Portneuf jusqu'en Gaspésie, en passant par Charlevoix et la Côte-du-Sud, des chantiers ont produit des centaines de goélettes à voiles qui, depuis, meublent nos contes et légendes. Certains se souviennent encore du clapotis des vagues sur les flancs fatigués ou du reflet fragile des mâts sur le fleuve endormi.

Deux goélettes au quai de Rivière-du-Loup. Photo : Fonds famille Breton-Chamberland

Achevé d'imprimer en novembre 1995
sur les presses de l'Imprimerie d'édition Marquis ltée
à Montmagny